Oliver Schaumann

Beyond Budgeting und Better Budgeting

Oliver Schaumann

Beyond Budgeting und Better Budgeting

Grenzen und Möglichkeiten aus wissenschaftlicher Sicht

VDM Verlag Dr. Müller

Bibliografische Information der Deutschen Nationalbibliothek:
Die Deutsche Nationalbibliothek verzeichnet diese Publikation in der Deutschen Nationalbibliografie; detaillierte bibliografische Daten sind im Internet über http://dnb.d-nb.de abrufbar.

Kontakt: VDM Verlag Dr. Müller e.K., Dudweiler Landstr. 125 a,
D-66123 Saarbrücken, Telefon 0681/9100-698, Telefax 0180 5060 3388 4322,
Email: info@vdm-verlag.de
Coverbild: www.purestockx.de
Covererstellung: Esther König

Herstellung:
Schaltungsdienst Lange o.H.G., Zehrensdorfer Str. 11, D-12277 Berlin
Books on Demand GmbH, Gutenbergring 53, D-22848 Norderstedt

ISBN: 978-3-8364-0766-3

Vorwort und Danksagungen des Autors

Das Konzept der klassischen Budgetierung galt jahrzehntelang als das dominante Instrument der operativen Unternehmenssteuerung. Seit ein paar Jahren mehren sich jedoch die Kritikpunkte an diesem Konzept – der Prozess der Planung und Kontrolle von (zumeist formalzielorientierten) Plänen und Budgets mit dem Ziel der effektiven und effizienten Steuerung gilt als optimierungsbedürftig. Bei der Kritik wird nicht an deutlichen Worten gespart. Hierzu wird immer wieder *Jack Welch* (ehemaliger CEO des US-Multi-Konzerns General Electric) zitiert: „The budget is the bane of corporate America." (Interview im Fortune Magazin, May 29, 1995). *Jeremy Hope* und *Robin Fraser*, zwei der führenden Vertreter des Beyond Budgeting Round Table (BBRT), bezeichnen Budgetzahlen sogar als „Figures of hate". Jedoch gilt eine ergebniszielorientierte Koordination (die eigentliche Grundfunktion von Budgets) als unverzichtbar für die Unternehmenssteuerung.

Seit einiger Zeit werden in diesem Kontext die Lösungsvorschläge *Beyond Budgeting* und *Better Budgeting* propagiert. Das Gros der hierzu erschienenen Veröffentlichungen ist jedoch stark praxisgetrieben und lassen zum Teil eine kritische Reflexion aus Sicht der Wissenschaft vermissen. Die vorliegende Arbeit, welche im Sommer 2005 an der Universität Kassel als Diplomarbeit zur Erlangung des Grades eines Diplom-Ökonoms angenommen und im Zuge dieser Veröffentlichung nochmals überarbeitet wurde, soll einen Beitrag zur Bewertung dieser beiden Ansätze aus Sicht der Wissenschaft liefern.

An dieser Stelle möchte ich zunächst Herrn Prof. Dr. Jörg Link und Herrn Dr. Thorsten Grandjot für die hervorragende akademische Betreuung im Rahmen meiner Diplomarbeit I an der Universität Kassel (Fachbereich Wirtschaftswissenschaften) danken.

Besonderer Dank gilt auch meinem Bruder Herrn Jörg Kiesewetter (M. A.) der neben der kritischen Durchsicht der Arbeit auch immer wieder wertvolle Ideen bzw. Anregungen lieferte und mir wenn nötig auch moralisch beistand. In diesem Zusammenhang möchte ich auch meiner Freundin Janine Sprenger danken.

Zu guter Letzt möchte ich im Speziellen meinen Eltern danken, ohne deren Unterstützung (in jeglicher Hinsicht) die vorliegende Arbeit sowie das zurückliegende Studium in der absolvierten Form nicht möglich gewesen wären.

Kassel, im Februar 2007 Dipl.-Oec. Oliver Schaumann

Inhaltsverzeichnis

Abkürzungsverzeichnis

Abb.	= Abbildung
ABB	= Activity-Based-Budgeting
ABM	= Activity Based Management
Aufl.	= Auflage
BBRT	= Beyond Budgeting Round Table
BSC	= Balanced Scorecard
bspw.	= beispielsweise
BWL	= Betriebswirtschaftslehre
bzw.	= beziehungsweise
CFO	= Chief Financial Officer
CRM	= Customer Relationship Management
DBW	= Die Betriebswirtschaft
d.h.	= das heißt
ed.	= edition
EIS	= Executive Information Systems
ERP	= Enterprise-Ressource-Planning
et al.	= et alii/ et alia
etc.	= et cetera
EVA®	= Economic Value Added
f.	= folgende
ff.	= fortfolgende
FIS	= Führungsinformationssysteme
ggf.	= gegebenenfalls
Hrsg.	= Herausgeber
i.S.v.	= im Sinne von
i.d.R.	= in der Regel
Kap.	= Kapitel
KMU	= klein- und mittelständische Unternehmen
KPI	= Key-Performance-Indicators
Krp	= Kostenrechnungs Praxis
min.	= mindestens
MIS	= Management-Informationssystem
PPBS	= Planning-Programming-Budgeting-System

RoI	= Return-on-Investment
S.	= Seite
s.	= siehe
SBU	= Strategic Business Unit
SLB	= Scratch-Line-Budgeting
sog.	= so genannte
u.	= und
u.a.	= unter anderem
u.a.m.	= und andere mehr
usw.	= und so weiter
VBM	= Value Based Management
vgl.	= vergleiche
vs.	= versus
z.B.	= zum Beispiel
ZBB	= Zero-Based-Budgeting
ZfCM	= Zeitschrift für Controlling und Management
zfo	= Zeitschrift für Führung und Organisation

Abbildungsverzeichnis

1. Einleitung

1.1. Die klassische Budgetierung im Umbruch?

Unternehmen befinden sich in einem revolutionären Veränderungsprozess, der sich zusammen mit einem tief greifenden Wandel der Wettbewerbsbedingungen vollzieht.[1] Zwangen zu Beginn des 20. Jahrhunderts (Industriezeitalter) vornehmlich knappe Finanzmittel die Unternehmen dazu ihre betrieblichen Aktivitäten zu koordinieren, um ihre Kosten zu steuern, so hat sich diese Wettbewerbssituation in der Gegenwart (Informationszeitalter) dramatisch verändert.[2] Unternehmen sehen sich heute einem immer stärkeren Wettbewerbsdruck, verbunden mit einer zunehmenden Komplexität und Dynamik des Unternehmensumfeldes gegenüber.[3] Daraus resultiert eine erhöhte Wettbewerbsintensität auf den verschiedenen Märkten, auf denen Unternehmen um Kunden, immer häufiger auch um Kapitalgeber (Shareholder), Mitarbeiter und Lieferanten konkurrieren.[4] Darüber hinaus äußern sich die Konsequenzen dieser Entwicklung auch noch in einer abnehmenden Vorhersehbarkeit von Umweltveränderungen und einer Verkürzung von Reaktionszeiten, die einer Zunahme der Anpassungszeit für notwendige Reaktionsmaßnahmen gegenüberstehen.[5]

Die Komplexität der durch die Unternehmensführung zu lösenden Probleme nimmt also zu, während die Dynamik der Umwelt wächst und schnellere Anpassungsfähigkeit verlangt.[6] Die zentrale Fragestellung für die Unternehmensführung lautet: Wie kann die erforderliche Anpassung an die Dynamik und Komplexität der Umsysteme, unter Berücksichtigung der wachsenden unternehmensinternen Komplexitätsproblematik, möglichst effektiv und effizient bewerkstelligt werden?

Die Ableitung der hierfür notwendigen Effizienzkriterien kann nur von den beschriebenen Kontextbedingungen her erfolgen, mit denen sich eine Unternehmung konfrontiert sieht.[7] Zielstellung sollte dabei sein, die rechtzeitige Anpassung an die Herausforderungen der Umsysteme (insbesondere der Absatzmärkte) so sicherzustellen, dass auf neue Anforderungen im Wettbewerb schneller, schlanker und vor allem besser reagiert werden kann, als die Konkurrenz es vermag. In der Literatur spricht man in

---

[1] vgl. Picot/Reichwald/Wigand (2003), S. 2; Kaplan/Norton (1997), S. 2
[2] vgl. Leyk/Kopp (2004), S.25
[3] vgl. Hartung (2002), S. 501 f.
[4] vgl. Klingebiel (2001), S. 5 f.
[5] vgl. Schomann (2001), S. 1
[6] vgl. Horváth (2003b), S. 3
[7] vgl. hierzu und im Folgenden Grandjot (2006), S. 26 ff.; Bisgaard/De Mast (2006), S. 31

diesem Zusammenhang vom Dilemma der „Zeitschere", deren Bewältigung einen entscheidenden Wettbewerbsvorteil für Unternehmen darstellt (siehe Abbildung 1).[8]

„Als wichtigstes Hilfsmittel zur Bewältigung von komplexen und dynamischen Umfeldsituationen wurde die Planung entwickelt."[9] Durch Planung soll ein vereinfachtes Modell der Realität erstellt (Komplexitätsreduktion) und Prognosen zur Zukunftsentwicklung formuliert werden (Abbau der geringen Vorhersehbarkeit).[10]

Doch im Zuge des steigenden Wettbewerbsdrucks im *turbulenten*[11] Umfeld, geraten die Planung und das Instrument der Budgetierung als grundlegender Bestandteil des operativen Planungsprozesses ins Kreuzfeuer der Kritik.[12]

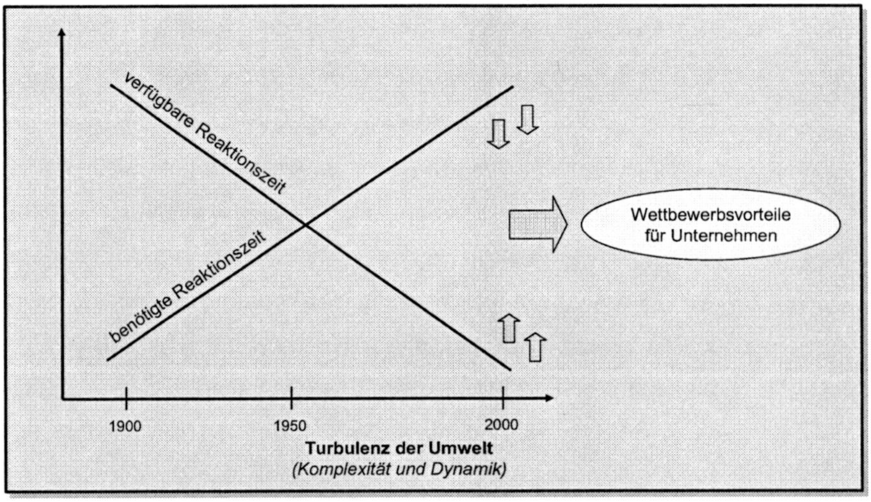

Abbildung 1: Das Dilemma der „Zeitschere"
(Quelle: In Anlehnung an Weigand/Buchner (2000), S. 3)

Dabei galt die Budgetierung in ihrer klassischen Form über Jahrzehnte als eines der wichtigsten Instrumente dezentraler Steuerung von Organisationen und als notwendige Voraussetzung, um den Betriebserfolg zu kontrollieren und geeignete Maßnahmen zur Zielerreichung und Ergebnisverbesserung ergreifen zu können.[13] Sie ist in der Praxis oftmals sogar das einzige Instrument der erfolgsorientierten Unternehmenssteuerung und wurde über die Jahre hinweg zu einem umfangreichen und komplexen System entwickelt.[14] Trotz ihrer weiten Verbreitung sind die von der klassischen Budgetierung betroffenen Führungskräfte zunehmend unzufrieden mit diesem Instrument, was z.B.

---

[8] vgl. u.a. Buchner (2003), S. 103
[9] Buchner (2003), S. 103
[10] vgl. Horváth (2003b), S. 4
[11] Anm.: Turbulenz i.S.v. Resultante aus Komplexität und Dynamik
[12] vgl. Buchner (2003), S.103/104
[13] vgl. Ossadnik/Barklage (2002), S. 242; Rachlin (2001), S. 16; Reiß/Bernecker (2006), S. 5
[14] vgl. hierzu und im Folgenden Gleich/Kopp/Leyk (2003a), S. 315; Tigges/Schmid (2004), S. 689; Hope/Fraser (2003a), S. 3 f.

Aussagen von Jack Welsh (CEO, General Electrics), der Budgets als „the bane of America" bezeichnet oder von Bob Lutz (Vice Chairman, Chrysler) der die Budgetierung gar als „tool of repression" darstellt, untermauern. Grundsätzlich wird der mit dem Budgetierungsprozess verbundene Aufwand als zu hoch angesehen und gleichzeitig der durch ihn erzeugte Nutzen in Frage gestellt.

Mit Aufwand sind vornehmlich der hohe zeitliche Aufwand und die erhebliche Ressourceninanspruchnahme des Prozesses gemeint.[15] Die Monofokussierung auf finanzielle Zielgrößen, eine mangelnde Verknüpfung zu strategischen Zielen und ein hoher Grad an Inflexibilität lassen am Nutzen der Budgetierung zweifeln. Darüber hinaus blockiert die klassische Budgetierung auch die Realisierung des Potenzials einer Vielzahl von anderen Instrumenten (z.B. Balanced Scorecard).[16]

Dies alles lässt die Budgetierung als Instrument der operativen Unternehmensplanung optimierungsbedürftig erscheinen.[17]

Trotz der an der klassischen Budgetierung geübten Kritik, bleibt eine ergebniszielorientierte Koordination (und damit die Funktion von Budgets) unverzichtbar für die Unternehmenssteuerung.[18] Aktuell werden verschiedene Lösungsvorschläge propagiert, die von einer Reform der klassischen Budgetierung (im Sinne eines *Better Budgeting*) bis hin zur Abkehr von Budgets und Budgetierung (im Sinne eines *Beyond Budgeting*) reichen.[19] Insbesondere der Ansatz des *Beyond Budgeting* (von Hope/Fraser/Bunce, bzw. des „Beyond Budgeting Round Table" (BBRT)) wird dabei am stärksten propagiert und diskutiert.[20]

Jedoch beschränkt sich die Mehrheit der bislang zu den beiden Ansätzen erschienenen Veröffentlichungen auf eine Auflistung der Probleme der (klassischen) Budgetierung und die Ableitung des Veränderungsbedarfs.[21] Besonders auffallend ist wie relativ unkritisch zuweilen mit den Konzepten oder einzelnen Aspekten der beiden Ansätze umgegangen wird. Dies gilt sowohl für die Frage der konzeptionellen Vorteilhaftigkeit als auch für Implementierung bzw. Implementierbarkeit der Konzepte. Eine kritische Reflexion auf ihre Grenzen und Möglichkeiten aus Sicht der Wissenschaft erfolgte bislang nur vereinzelt und dann zumeist nur partiell.

---

[15] vgl. hierzu und im Folgenden Weber (2004), S. 374 f.; Schäffer (2003), S.1; Horváth (2003a), S. 248 ff.
[16] vgl. Pfläging (2005), S. 410
[17] vgl. Buchner (2003), S. 103 f.; Reiß/Bernecker (2006), S. 6 f.
[18] vgl. Horváth (2003a), S. 250; Horváth (2005), S. 28
[19] vgl. Weber (2004), S. 374 f.
[20] vgl. u.a. Schaudwet (2002); Irle (2004); Pfläging (2003b)
[21] vgl. hierzu und im Folgenden Weber/Linder (2003), S. 7; Weber/Linder (2004b), S. 67

1.2. Aufbau und Zielsetzung der Arbeit

Wie in Abschnitt 1.1 erwähnt, erfolgte die aus wissenschaftlicher Sicht bedeutsame kritische Reflexion der Ansätze des *Beyond Budgeting* und *Better Budgeting* bislang nur partiell und nicht umfassend zufrieden stellend. Im Rahmen dieser Arbeit soll zunächst versucht werden, ausgehend von der Darstellung der klassischen Budgetierung (Geschichte, klass. Ablauf/Aufbau, Schwachpunkte/Kritik), Ansatzpunkte für Verbesserungsmöglichkeiten aufzuzeigen, um damit eine Argumentationsbasis für die Besprechung der beiden neuen Budgetierungsansätze (*Beyond* und *Better*) zu liefern. Aufbau und Ablauf soll dieser Konzepte sollen möglichst anschaulich dargestellt und noch anhand eines Praxisbeispiels (*Beyond Budgeting*) bzw. einer konkreten Ausgestaltung des Ansatzes (*Better Budgeting*) verdeutlicht werden. Am Ende der Abschnitte soll jeweils eine kritische Reflexion der Grenzen und Möglichkeiten (aus wissenschaftlicher Sicht) der einzelnen Konzepte erfolgen, was auch das zentrale Ziel der Arbeit darstellen soll. Den Abschluss der Arbeit bildet ein kurzes Fazit nebst Ausblick bezüglich der zu erwartenden Entwicklung in der Budgetierungsdiskussion.

Das nachfolgende Kapitel soll, vor dem Einstieg in die Thematik, die wesentlichen Begriffe der aktuellen Budgetdiskussion kurz umreißen und so eine Grundlage zum besseren Verständnis der Thematik und der nachfolgenden Kapitel bilden.

2. Grundlagen der Thematik und aktuellen Budgetdiskussion

Im vorangegangenen Abschnitt wurden bereits einige für das Thema der Arbeit bedeutenden Begriffe wie Budgetierung, Wissenschaft sowie die Ansätze des *Beyond Budgeting* und *Better Budgeting* erwähnt. Zum besseren Verständnis der Thematik und der nachfolgenden Kapitel sollen nun diese wesentlichen Begriffe der aktuellen Budgetdiskussion kurz umrissen werden.

2.1. Budgets und Budgetierung

Der Begriff Budget wird sehr unterschiedlich definiert.[22] Dies liegt zum einen an seiner Herkunft ursprünglichen aus der staatlichen Verwaltung stammend, wo er im Sinne von Etat (=Haushalt) verwendet wird (von dort übernahmen ihn Unternehmen im angelsächsischen Raum als dem Finanzplan gleichgestellte Größe). Zum anderen aber auch an seiner Verwendung in unterschiedlichen Wissenschaftsdisziplinen, von der Betriebswirtschaftslehre über die Volkswirtschaftslehre bis zu den Politikwissenschaften.

Im Rahmen dieser Arbeit sollen Budgets als formalzielorientierte, in wertmäßigen Größen formulierter Pläne, die einer Entscheidungseinheit (Unternehmensabteilung, Projektteam) für eine bestimmte Zeitperiode mit einem bestimmten Verbindlichkeitsgrad vorgegeben werden, verstanden werden.[23] Die Bestandteile dieser Definition zeigen auch gleich die wichtigsten Merkmale der Budgetierung auf:[24]

- Entscheidungseinheit:
  - Horizontale Differenzierung nach Funktionen, Prozessen, Produkten, Regionen oder Projekten
  - Vertikale Differenzierung nach Ebenen der Unternehmenshierarchie
- Geltungsdauer:
  - Von Tages- bis hin zu Mehrjahresbudgets
- Wertdimension:
  - Ausgabenbudgets
  - Kostenbudgets
  - Deckungsbeitragbudgets
  - Umsatzbudgets

---

[22] vgl. hierzu und im Folgenden Rottke (2000), S. 266; Dambrowski (1986), S. 18

[23] vgl. Horváth (2003a), S. 231; Horváth/Dambrowski/Jung/Posselt (1985), S. 139; Dambrowski (1986), S. 19

[24] vgl. hierzu und im Folgenden Brühl (2004), S. 246 f.; Horváth (2003a), S. 233

- Verbindlichkeitsgrad:
  - starre Budgets (Budget mit fixer Ober-, bzw. Untergrenze im Sinne eines Etats)
  - flexible Budgets (Budget mit Vorgabe einer Orientierungsgröße)

In der Praxis werden Budgets bisweilen ausschließlich als eher kurzfristige und mit einem starken Verbindlichkeitsgrad ausgestattete formalzielorientierte Pläne verstanden (sog. „Jahresbudgets“).[25] Im Allgemeinen sollen sie aber der zukunftsbezogenen Willensdurchsetzung im Unternehmen, was z.B. die Existenz von strategischen Budgets und/oder Mehrjahresbudgets für größere Projekte zeigt, dienen.
Ähnlich wie beim Budgetbegriff existieren auch hinsichtlich des Budgetierungsbegriffs seit jeher unterschiedliche Auffassungen.[26] Bis heute schwanken die Definitionen zwischen den Extremen der synonymen Verwendung der Begriffe „Budgetierung“ und „betriebliche Planung“ sowie der völligen Ablehnung einer solchen Gleichsetzung. Aufbauend auf der Definition des Budgetbegriffs stellen Budgetierung und Planung keine synonymen Begriffe sondern ähnliche Sachverhalte mit unterschiedlich ausgeprägtem Inhalt dar, die sich jedoch gegenseitig bedingen - Budgetierung baut demnach auf der Planung auf.
Die Budgetierung kann in Anlehnung an *Weber* und *Greiner* als Prozess der Erstellung und Kontrolle von (formalzielorientierten) Plänen und Budgets mit dem Ziel der effektiven und effizienten Planung, Kontrolle und Verhaltenssteuerung definiert werden.[27] Sie umfasst dabei den gesamten Prozess der Budgeterstellung (Vorbereitung, Verhandlung und Vereinbarung von Budgetwerten), der Eingabe und Verwaltung der Budgetinformationen sowie der laufenden Budgetwertkontrolle und deren Abweichungsanalyse.[28]
Die Budgetierung bestimmt lediglich den Handlungsrahmen für die einzelnen Entscheidungseinheiten im Rahmen des Planungsprozesses. Die konkrete Ausgestaltung dieses Rahmens ist indes die Aufgabe der Maßnahmenplanung.[29]
Zur besseren Einordnung von Budget und Budgetierung als grundlegenden Bestandteil der betrieblichen Planung soll Abbildung 2 die eben genannten Ausführungen nochmals veranschaulichen.

---

[25] vgl. hierzu und im Folgenden Goossens (1999), S. 63 ff.; Preißner (2003), S. 48 ff.
[26] vgl. hierzu und im Folgenden Kopp/Leyk (2004), S. 2
[27] vgl. Weber (2004), S. 365 f.; Greiner (2004) S. 60 ff.
[28] vgl. Horváth (2003a), S. 235
[29] vgl. Fink (2003), S. 100 f.

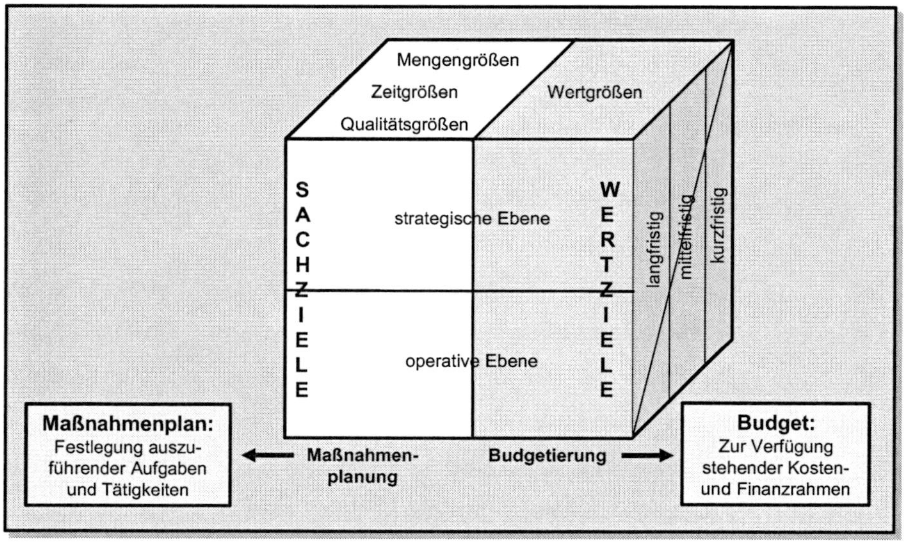

Abbildung 2: Zusammenhang zwischen Maßnahmenplanung und Budgetierung (Quelle: Kopp/Leyk (2004), S. 3)

2.2. Better Budgeting

Unter dem Ansatz des *Better Budgeting* wird eine Vielzahl von (mehr oder weniger abweichender) Lösungskonzepten zusammengefasst, deren übereinstimmendes Kernziel ist, die Budgetierung durch eine stärkere Marktorientierung und Entfeinerung (i.S.v. Dezentralisierung und Prozessvereinfachung) flexibler und weniger aufwendig zu gestalten.[30] Weiter soll durch eine verstärkte analytische Neuplanung und Früherkennung in Form von sog. „Rolling Forecasts" eine bessere Verknüpfung mit der Strategie hergestellt und die Prognosegüte angehoben werden. Damit stellt der Ansatz des *Better Budgeting* das Instrument der klassischen Budgetierung an sich nicht in Frage, sondern strebt vielmehr eine Effizienzsteigerung von Planung und Budgetierung durch Anpassung dieser an die aktuellen Anforderungen an.[31] Kennzeichnend für diesen Ansatz ist weiter, dass sich die Veränderungen am existierenden Budgetierungsprozess nicht ad-hoc, sondern in kleinen Schritten vollziehen.[32]

Better Budgeting strebt eine Verschlankung und Vereinfachung der Budgetierung, mit dem Ziel deutlich steigender Effektivität und Effizienz, an.[33] Eine revolutionäre Veränderung der Unternehmenskultur oder den bestehenden Grundsätzen der Unternehmensführung wird dabei jedoch nicht angestrebt.

---

[30] vgl. hierzu und im Folgenden Weber/Linder (2004a); Weber (2004), S.375
[31] vgl. Greiner (2004), S. 82
[32] vgl. Gleich/Kopp/Leyk (2003b), S. 462
[33] vgl. hierzu und im Folgenden Sure/Thiel (2005), S. 13

2.3. Beyond Budgeting

„Der Beyond Budgeting Ansatz hat seinen Ausgangspunkt in dem Versuch, verschiedene moderne und als vorbildhaft angesehene Verfahrensweisen in einen ganzheitlichen Führungsansatz zusammenzuführen – von netzwerkorientierten Organisationsstrukturen über die Dezentralisation von Verantwortung bis hin zu teamorientierten Leistungsbeurteilungssystemen."[34]

Dabei wird die Budgetierung als effektives Planungs- und Steuerungsinstrument grundsätzlich in Frage gestellt und ein gänzlicher Verzicht auf Budgets propagiert.[35] Die traditionell von der Budgetierung übernommenen Funktionen müssen daher durch andere Instrumente übernommen werden. Im Fokus stehen dabei, wie im angeführten Zitat von *Greiner* erwähnt, vor allem moderne Instrumente des Empowerment und des strategischen Management, wie z.B. die Balanced Scorecard. Durch ihren Einsatz sollen die Nachteile der Budgetierung vermieden sowie ein effektiverer und effizienterer Steuerungsansatz verwirklicht werden.[36] Dieser neue Steuerungsansatz soll die Verknüpfung der operativen Planung mit der Unternehmensstrategie unterstützen und einen kontinuierlichen Prozess der Strategieentwicklung fördern. Zugleich wird unterstellt, dass die Delegation von Ressourcenverantwortung auf untere („dem Markt nähere") Ebenen die Planungsqualität erhöhe und motivationsfördernd wirke.

Bei genauerem Betrachten des Ansatzes wird deutlich, dass der Fokus des *Beyond Budgeting* im Gegensatz zum *Better Budgeting* weniger auf der instrumentellen Ebene, als auf der veränderten Denkhaltung von Führungskräften liegt.[37] Er fordert eine radikale Änderung von gängigen Management- und Organisationsstrukturen und stellt dabei alle bisherigen Systeme der Planung und Steuerung in Frage.

2.4. Wissenschaft

Wissenschaft stellt den Inbegriff des menschlichen Wissens dar.[38] Sie ist das nach Prinzipien geordnete Ganze der Erkenntnis, der sachlich geordnete Zusammenhang von wahren Urteilen und wahrscheinlichen Annahmen (Hypothesen, Theorien) sowie möglichen Fragen über das Ganze der Wirklichkeit. Im Gegensatz zum ungeordneten Wissen (Erfahrungswissen/Empirie) geht die Wissenschaft nicht bloß auf das Dass, sondern auch auf das Warum, die Hintergründe und Ursachen der Dinge ein.

---

[34] Greiner (2004), S. 191
[35] vgl. hierzu und im Folgenden Gleich/Kopp/Leyk (2003a), S. 317
[36] vgl. hierzu und im Folgenden Horváth (2003a), S. 250 f.
[37] vgl. hierzu und im Folgenden Pack/Dörr (2004), S. 4 f.
[38] vgl. hierzu und im Folgenden Schischkoff (1982), S. 756

Sie kann demnach als die systematische Ansammlung, Aufbewahrung und Weitergabe (in Form von Lehre) menschlichen Wissens verstanden werden.[39] Sie bezeichnet im Allgemeinen die auf einen Gegenstandsbereich bezogene und in einem Begründungszusammenhang stehende Gesamtheit von Erkenntnissen.

Der erwähnte Gegenstandsbereich, auch oftmals als das Erfahrungsobjekt bezeichnet, beschreibt einen konkreten Realitätsausschnitt, mit dem sich die jeweilige Wissenschaftsdisziplin beschäftigt.[40] Im Rahmen der Betriebswirtschaftslehre (BWL) werden oftmals u.a. der Betrieb als technisch-produktionswirtschaftliche Einheit oder die Unternehmung als Gebilde im rechtlich-institutionellen Sinne als Erfahrungsobjekt genannt.

Das allgemeine Ziel von Wissenschaft, der sog. „reinen" Wissenschaft, ist der Erkenntnisfortschritt im Sinne der Ansammlung von neuem Wissen.[41] Während die Zielstellung der angewandten Wissenschaften über den reinen Erkenntnisfortschritt hinausgeht und auch dessen praktischen Zweck bzw. Anwendungsbezug einbezieht. Dabei sollte sie nach Möglichkeit dem Prinzip der Werturteilsfreiheit genügen, was im Rahmen der Sozialwissenschaften nicht immer voll erfüllt werden kann.[42]

Nach anfänglich kontroverser Diskussion, ob die BWL eine reine oder angewandte Wissenschaft sei, gilt sie heute als angewandte Wissenschaft.[43] Sie soll somit durch ihre Erkenntnisse eine Hilfe zur menschlichen Daseinsbewältigung leisten, sprich den gesellschaftlichen Fortschritt und hierbei im Speziellen den des Wirtschaftssektors begünstigen und vorantreiben.[44]

Nachdem nun beschrieben wurde, was unter dem Begriff Wissenschaft zu verstehen ist und welche Zielsetzung sie im Allgemeinen und die BWL im Besonderen verfolgt, gilt es abschließend die Hauptfunktionen der Wissenschaft zu erläutern.

Generell erfüllt die Wissenschaft drei Hauptfunktionen:

- die fundierende,
- die kritische und
- die utopische Funktion.[45]

Die **fundierende Funktion** erarbeitet die Grundlagen für die Objektaussagen der Einzelwissenschaften sowie deren Begründung. Ihre **kritische Funktion** erfüllt die

---

[39] vgl. hierzu und im Folgenden Fülbier (2004), S. 266
[40] vgl. hierzu und im Folgenden Chmielewicz (1994), S.19 f.; Fülbier (2004), S. 266
[41] vgl. hierzu und im Folgenden Raffée (1974), S.15; Fülbier (2004), S. 267; Chmielewicz (1994), S. 17 f.
[42] vgl. Steinmann/Scherer (2000), S.1056; Chalmers (1999), S. 1
[43] vgl. Raffée (1974), S.15
[44] vgl. Raffée (1984), S.3; Freimann (1994), S. 9 ff.
[45] vgl. hierzu und im Folgenden Raffée (1984), S. 4; Raffée (1974), S.16 f.

Wissenschaft, indem sie Fehler und Missstände aufdeckt und deren Revision herbeiführt oder anregt. Objekte wissenschaftlicher Kritik können dabei Aussagen und/oder Aussagensysteme der Wissenschaft selbst oder aber auch Zustände des realen Lebens sein. Der **utopischen Funktion** genügt die Wissenschaft wiederum, indem sie neue Ziele, Werte und Modelle erarbeitet.

Zwischen den beiden letztgenannten Funktionen besteht ein enger Zusammenhang.[46] Führt doch zum einen die Kritik an Vorhandenem zu utopischen Überlegungen (denn erst Kritik regt zu neuen Entwürfen an), und bilden Utopien zum anderen eine zentrale Voraussetzung für die Kritik an Vorhandenem.

Gerade für die BWL ist die Kritik an den gegebenen Verhältnissen und die Entwicklung alternativer Modelle von besonderer Bedeutung, lebt sie doch sowohl von der internen Wissenschafts- als auch der übergreifenden Praxisdiskussion, welche neue Ideen und Entwürfe generiert und somit den Nährboden für das allgemeine Ziel der Begünstigung bzw. des Vorantreibens gesellschaftlichen Fortschritts darstellt.[47]

[46] vgl. hierzu und im Folgenden Raffée (1974), S.16
[47] vgl. Freimann (1994), S. 20 ff.

3. Die klassische Budgetierung

Im Kapitel „Die klassische Budgetierung“ soll im Abschnitt 3.1. zunächst ein Überblick über das Konzept der klassischen Budgetierung gegeben werden, der den Ausgangspunkt für die in Abschnitt 3.2. folgende Besprechung der Problemfelder des Konzepts im aktuellen Wettbewerbsumfeld bildet.

3.1. Das Konzept im Überblick

Die klassische Budgetierung wurde in ihrer heute bekannten Form in den ersten Jahrzehnten des 20. Jahrhunderts mit dem Ziel entwickelt die zunehmend diversifizierter und komplexer werdenden Großunternehmen, wie General Motors, Du Pont de Nemours oder Siemens noch steuerbar zu halten.[48] In praktisch allen Fällen stellt die Einführung von Budgets eine Reaktion auf die gewachsene Komplexität der Unternehmen dar. Sie erlaubte es den Unternehmen, im Rahmen des Planungsprozesses durch einen systematischen Abgleich der unterschiedlichen Wissensbasen (Zentral: Unternehmensgesamtsicht; dezentral: detaillierte Produkt- und Marktkenntnis) die steigende Komplexität zu kontrollieren und bestimmbar zu machen. Entsprechend erfolgreich war die Budgetierung als Managementkonzept in der ersten Hälfte des 20. Jahrhunderts.

Ihr Ursprünglicher Zweck war also die Steuerung der einzelnen Entscheidungseinheiten (Filialen, Tochterunternehmen, Abteilungen, Profit Center, etc.) innerhalb eines Unternehmens auf deren individuelle, mit denen des Gesamtunternehmens harmonisierten, Ziele hin.[49] Weiter sollten die harmonisierten Ziele hinsichtlich der Rentabilität des Unternehmens überwacht werden. Im Einzelnen können dabei folgende grundlegende Funktionen der Budgetierung unterschieden werden:[50]

- *Koordinationsfunktion:* Die Vorgabe und Einhaltung von wertmäßigen Budgetzielen soll auf Basis einer koordinierten Gesamtplanung zu einem mit der Zielsetzung des Gesamtunternehmens abgestimmtem Verhalten führen. Mit Hilfe der horizontalen und vertikalen Abstimmung sollen auch potenzielle Engpass- und Problembereiche im Unternehmen noch vor ihrem Entstehen aufgedeckt und verhindert werden.

---

[48] vgl. hierzu und im Folgenden Weber (2004), S. 367
[49] vgl. hierzu und im Folgenden Rottke (2000), S. 266
[50] vgl. hierzu und im Folgenden Pfaff (2002), S. 234; Horváth (2003b), S. 4 f.; Weber/Linder (2003), S. 8 f.; Helmke (2002), S. 60 ff.

- *Motivationsfunktion:* Die Budgetierung hat die Budgetverantwortlichen und die ihnen zugeordneten Entscheidungseinheiten auf die wertmäßigen Unternehmensziele hin auszurichten. Dies kann einerseits über eine entsprechende Kommunikation, andererseits aber auch über das gezielte Setzen von Leistungsanreizen erreicht werden. Da zur Gewährung von Leistungsanreizen auch die Kenntnis über die erbrachte Leistung notwendig ist, wird die Motivationsfunktion auch sehr eng mit dem Begriff *Kontrollfunktion* belegt.

- *Orientierungsfunktion:* Alle Mitarbeiter sollen die wertmäßigen Informationen erhalten, die ihnen ausreichend Kenntnis über die Gesamtziele und Erwartungen des Managements an die einzelnen Entscheidungseinheiten verschaffen. Dazu gilt es zukünftige Entwicklungen zu prognostizieren und dadurch die Unsicherheit über zukünftige Entwicklungen für den Planzeitraum zu reduzieren. Daher wird diese Funktion z.T. auch als *Planungs- oder Prognosefunktion* bezeichnet.

Ferner werden der Budgetierung neben der bereits erwähnten Kontrollfunktion z.T. auch noch eine Bewilligungs- und Allokationsfunktion, eine Initiierungsfunktion und eine Vorgabefunktion zugewiesen.[51]

Nachdem die Entstehung der Budgetierung, ihr ursprünglicher Zweck und ihre grundlegenden Funktionen kurz aufgezeigt wurden sollen nun mögliche Ansätze zum Ablauf des Prozesses angesprochen werden.

Die erste Möglichkeit wird als **Bottom-Up-Ansatz** bezeichnet, der den Vorteil hat, dass die Budgets von denen erstellt werden, die sie letztlich zu erfüllen haben.[52] Sprich die eigentliche Budgetplanung wird von den jeweiligen Entscheidungseinheiten vor Ort betrieben und dann nach oben zum Gesamtbudget des Unternehmens verdichtet. Dadurch erhofft man sich eine höhere Realitätsnähe und Motivationswirkung der Budgetentscheidungen bei den betroffenen Entscheidungseinheiten. Allerdings liegt hierin auch die Gefahr, dass die jeweils Verantwortlichen ihren Informationsvorteil nutzen, um nicht Wahrheitsgemäß zu berichten und sog. Budgetpuffer (Budgetary-Slack) einzubauen.

Bei der zweiten Möglichkeit, dem **Top-Down-Ansatz**, werden die Budgets, ohne Mitsprache der letztlich betroffenen Entscheidungseinheiten oder Verantwortungs-

---

[51] vgl. hierzu und im Folgenden u.a. Küpper (2001), S. 319 f.; Brühl (2004), S. 247 f.

[52] vgl. hierzu und im Folgenden Brühl (2004), S. 278

bereiche, zentral von der Unternehmensführung bestimmt.[53] Es werden vom Gesamtbudget des Unternehmens ausgehend die einzelnen Teilbudgets heruntergebrochen (drill-down). Der Ansatz weist signifikante Nachteile auf, da er zum einen hohe Informationsanforderungen an die Unternehmensführung stellt und zum anderen eine negative Auswirkung auf die Mitarbeitermotivation haben kann. Verfügt die Unternehmensführung allerdings über genügend Informationen, gewährleistet der Top-Down-Ansatz eine harmonisierte Gesamtplanung des Unternehmens.

Ein weiterer Ansatz, die Vorteile des retrogradem Top-Down- und des progressiven Bottom-Up-Ansatzes vereinend, ist das **Gegenstromverfahren,** welches in Abbildung 3 am Beispiel der Produktionskosten dargestellt ist.[54]

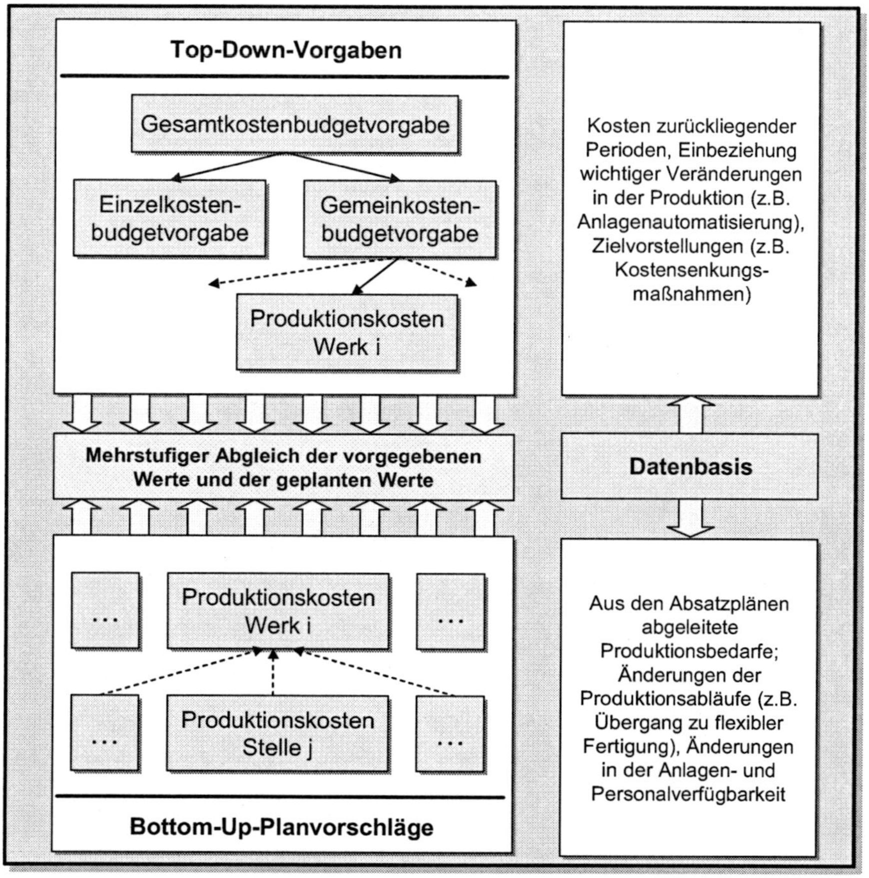

Abbildung 3: Budgetierung im Gegenstromverfahren, veranschaulicht am Beispiel der Produktionskosten (Quelle: In Anlehnung an Weber (2004), S. 369)

---

[53] vgl. hierzu und im Folgenden Goossens (1999), S. 156 f.; Rapp (2002), S. 8

[54] vgl. hierzu und im Folgenden Rottke (2001), S. 372

Hierbei werden zum einen die Budgetwerte Top-Down vorgegeben und zum anderen Bottom-Up vorgeschlagen. Die Top-Down-Vorgaben und die Bottom-Up-Vorschläge werden dann in einem mehrstufigen Prozess, auch Verhandlungsrunden oder „Knetrunden" genannt, abgeglichen.[55] Meist ist das Verfahren nicht mit einem einmaligen Durchlauf beendet, sondern benötigt, abhängig u.a. von der Unternehmensgröße oder den Umfeldbedingungen, eine Reihe von weiteren Durchläufen, sog. Planungsschleifen. Dieser Sachverhalt führt dazu, dass das Verfahren oftmals als äußerst zeitintensiv und aufwendig charakterisiert wird.[56]

Einen unabhängig vom letztlich gewählten Ansatz beispielhaften Ablauf beschreibt *Weber*.[57] Dabei bilden i.d.R. die produkt- und marktbezogenen Absatz- und Umsatzpläne den Ausgangspunkt der klassischen Budgetierung, da sie die Basis zur Bestimmung der Produktionspläne bilden. Aus den Produktionsplänen (für die gepflegte Arbeitspläne mit Durchlaufzeiten, Bearbeitungsreihenfolge etc. vorliegen sollten) leiten sich dann Beschaffungs- und Personalplanung ab. Abschließend erfolgt nun die Planung der Budgets für die administrativen und dispositiven Leistungen in Absatz, Produktion, Beschaffung, Verwaltung etc. Da sich hierfür in der Praxis oftmals nur schwer eine genaue Informationsbasis ermitteln lässt, werden Budgetwerte der vergangenen Planungsperiode, korrigiert um Faktoren wie Inflation, prozentuale Kostensenkungsziele, Mehrbedarf aufgrund von Mengensteigerungen usw., einfach fortgeschrieben. Diese vergangenheitsorientierte Form der Budgetierung besitzt einen großen Vorteil in ihrer Einfachheit und ist deshalb in der Praxis am häufigsten vorzufinden.[58] Neben der vergangenheitsorientierten Budgetierung sind noch die zukunftsbezogene Budgetierung und die Neuplanung des Budgets zu nennen.[59] Während sich die zukunftsbezogene Budgetierung inhaltlich (i.S.v. Wieviel wird für welche Maßnahmen, Kapazitäten usw. ausgegeben?) und/oder umsatzbezogen (i.S.v. Welcher prozentuale Anteil des Umsatzes darf für … ausgegeben werden?) an den Plänen für die nächste Periode orientiert, wird das Budget bei der Neuplanung in jeder Periode von Grund auf neu bestimmt. Konkret handelt es sich beim Konzept der Neuplanung des Budgets um den Ansatz des Zero-Based-Budgeting (siehe Kap. 4.3.1).

---

[55] vgl. hierzu und im Folgenden Rachlin (2001), S. 182
[56] vgl. Brühl (2004), S. 278
[57] vgl. hierzu und im Folgenden Weber (2004), S. 367 ff.
[58] vgl. Heidenberger/Muthsam/Stummer (2000), S. 1005 f.
[59] vgl. hierzu und im Folgenden Preißner (2003), S. 48 ff.;

Im Allgemeinen lassen sich für einen Überblick über das Konzept der klassischen Budgetierung folgende Ziele festhalten (stets auf die aktuell gültige Budgetperiode bezogen): [60]

- Leistungsdefinition
- Kostenbegrenzung
- Ergebniszielerreichung
- Abweichungsbegrenzung von „Soll-Ist"
- Vermeldung und Begründung ungeplanter Mehraufwendungen
- Festlegung der Prioritäten
- Abstimmung der Investitionen

Ferner existieren natürlich noch einige unternehmensabhängige Ziele, welche aber hier nicht weiter besprochen werden sollen.[61]

3.2 Problemfelder des Konzepts

Trotz der Erfolge der Budgetierung in der ersten Hälfte des 20. Jahrhunderts und ihrer weiten Verbreitung ist in vielen Unternehmen in den letzten Jahren eine zunehmende Unzufriedenheit mit dem Ablauf und den Ergebnissen des Budgetierungsprozesses zu verzeichnen.[62]

Auslöser hierfür sind Schwachstellen der klassischen Budgetierung in Verbindung mit den Merkmalen von Budgets in der turbulenten Unternehmensumwelt der Gegenwart.[63]

Im Folgenden soll eine möglichst umfassende und detaillierte Analyse der in Kap. 1.1. bereits kurz angesprochenen Kritikpunkte bzw. Schwachstellen erfolgen, dargestellt in acht Abschnitten („Problemfelder"):

Problemfeld (1): *Ressourcenaufwand*

Durch eine vollständige und detaillierte Budgetierung wird das Unternehmen zwar möglichst exakt abgebildet, und es bieten sich dadurch auch entsprechend erschöpfende Informationen für die unterschiedlichsten Analysezwecke, dies ist jedoch mit einem (erheblichen) Ressourcenaufwand verbunden.[64] So werden zum Teil ganze Sortimente bis hinunter auf Artikelebene mit Werten versehen oder Kostenarten so stark heruntergebrochen, dass jeder noch so unbedeutende Sachverhalt möglichst

---

[60] vgl. hierzu und im Folgenden Treuz (2004), S. 342
[61] siehe hierzu u.a. Treuz (2004), S. 342 f.
[62] vgl. Baum/Coenenberg/Günther (2004), S. 370 f.
[63] vgl. Tigges/Schmid (2004), S. 690 f.
[64] vgl. Weber/Linder (2003), S. 12

differenziert abgebildet werden kann.[65] Eine Studie von *Hackett Benchmarking Solutions* aus dem Jahr 1998 kam auf das Ergebnis, dass Unternehmen durchschnittlich mehr als 25.000 Manntage pro Milliarde US-Dollar Umsatz in den Planungs- und Budgetierungsprozess investieren.[66] Nach einer Erhebung der *KPMG* werden durch die Budgetierung ca. 20-30% der Zeit von Führungskräften und Managern beansprucht. *Horváth & Partners* schätzt, dass bis zu 50% der Controller-Kapazitäten für Planung und Budgetierung aufgewendet werden.

Neben dem hohen Grad der Detaillierung sind etliche Schleifen im Planungsprozess, eine unzureichende Zielausrichtung der Planung durch Top-Down-Vorgaben, eine mangelnde Organisation des Planungsprozesses oder immer wiederkehrende unterjährige Anpassungen der Planung durch Prämissenänderungen einige Probleme, die den Ressourcenaufwand in die Höhe treiben und eine deutliche Bürokratisierungstendenz der Budgetierung verursachen.[67]

So verwundert es kaum, dass der Prozess durchschnittlich vier bis fünf Monate andauert.[68] Zeit die nach Ansicht der Kritiker sinnvoller für wertschöpfende Prozesse eingesetzt werden könnte.[69]

Es stellt sich also die Frage, ob sich die Kosten-Nutzen-Relation des Budgetierungsaufwands noch in einem verträglichen Rahmen bewegt.[70]

Problemfeld (2): *Verlust der Flexibilität*[71]

Budgets führen zu einem Verlust der Flexibilität von Organisationen zu führen.[72] Je detaillierter und verbindlicher das Budget ist, umso schwerer ist eine Reaktion auf Markt- oder Strategieänderungen, schlimmstenfalls wird sie sogar unmöglich. Gerade in turbulenten Umfeldern bleibt Unternehmen nur ein sehr schmales Zeitfenster, um Chancen wahrzunehmen und/oder auf potenzielle Risiken zu reagieren. Doch gerade die dafür notwendigen Anpassungsprozesse im Budgetplan gestalten sich bei einer starren und inflexiblen Budgetierung äußerst langwierig.[73] Praktisch unmöglich werden der nötige schnelle Zugriff auf Ressourcen und deren flexibler Einsatz, was z.B. dazu

---

[65] vgl. Kopp/Leyk (2004), S. 6
[66] vgl. hierzu und im Folgenden Hope/Fraser (2001), S. 22; Daum (2002), S. 399
[67] vgl. Gleich/Kopp (2001), S. 430; [Rieg, R.], S.3
[68] vgl. Hope/Fraser (2003), S. 5
[69] vgl. Becker (2004), S. 82
[70] vgl. Daum (2002), S. 399
[71] siehe hierzu auch Abb. 22, Kap. 8.7.
[72] vgl. hierzu und im Folgenden Greiner (2004), S. 80; Horváth (2003a), S. 248
[73] vgl. Schaudwet (2002), S. 66

führen kann, dass ein lukratives Zusatzprojekt nicht durchgeführt werden kann, weil dafür kein Budget vorgesehen bzw. vorhanden ist.[74]

Problemfeld (3): *Mangelnde Verknüpfung zur strategischen Planung und deren Ziele*

In der Praxis vollziehen viele Organisationen ihre Budgetierung unabhängig von der strategischen Planung.[75] Teilweise werden beide Prozesse sogar von unterschiedlichen Personen, Teams oder Abteilungen durchgeführt.[76]

Zumeist in der Mitte eines jeden Geschäftsjahres treffen sich die Führungskräfte für ein paar Tage, um sich intensiv mit der Strategie auseinanderzusetzen.[77] Ergebnis dieses Treffens ist der Strategieplan, der festlegt wo, die Organisation in drei, fünf oder zehn Jahren stehen soll. Dieser Strategieplan verschwindet nach seinem Erstellen zumeist im Regal der Führungskräfte, wo er bis zum nächsten Jahr stehen bleibt. Über das restliche Jahr hinweg vollzieht sich ein separater Budgetierungsprozess, welcher die unterjährigen Vorgaben für Umsatz, Kosten, Gewinne und Investitionen festlegt. Durch die zumeist kurzfristige Ausrichtung der Budgetierung auf ein Geschäftsjahr (Jahresbudget) sind alle unterjährigen Bemühungen auf das Ende eines jeden Geschäftsjahres und die Erreichung der Jahresendziele gerichtet.[78] Strategische Zielsetzungen, die i.d.R. längerfristiger Natur sind, spielen nach ihrer Verabschiedung unterjährig oftmals nur eine untergeordnete Rolle.

Budgets fokussieren somit auf kurzfristige Erfolgsziele, statt langfristige Wertsteigerungen zu verfolgen.[79] Dadurch verwundert es also kaum, dass Budgets nicht, wie von der Wissenschaft gefordert, aus der Unternehmensstrategie abgeleitet werden und ein Strategiebezug bei ihnen kaum erkennbar ist. [80]

Problemfeld (4): *Eindimensionalität der Steuerungsgrößen*

Während im Rahmen der strategischen Planung qualitative, nicht-monetäre Aspekte und sog. „Soft-Facts" eine relativ hohe Relevanz besitzen, ist die Budgetierung meist rein auf finanzielle, quantitative Größen ausgerichtet.[81] Budgets wollen möglichst detailliert und genau über Kosten und Umsätze, ausgedrückt in Währungseinheiten, das

[74] vgl. Horváth/Möller (2004), S. 69 f.
[75] vgl. Greiner (2004), S. 77
[76] vgl. Gaiser/Greiner (2004), S. 125 f.
[77] vgl. hierzu und im Folgenden Kaplan/Norton (1997), S. 238
[78] vgl. hierzu und im Folgenden Bunce/Fraser/Hope (2003), S.70 f
[79] vgl. Horváth (2003a), S. 248; Pfläging (2005), S. 410
[80] vgl. [Rieg, R.], S. 3; Gleich/Kopp (2001), S. 430
[81] vgl. hierzu und im Folgenden Gleich/Kopp (2001), S. 430

Unternehmensgeschehen für das Geschäftsjahr abbilden. Über die Ursachen für bestimmte Umsatz- oder Kostenentwicklungen liefern Budgets keine Auskunft, lediglich deren Auswirkungen werden früher oder später in einer Planabweichung sichtbar. Warum diese Abweichung jedoch zustande kam, ob mangelnde Kundenzufriedenheit, eine Konkurrenzaktion oder aber ein Mangel innerhalb des Prozesses der Auftragsabwicklung dafür verantwortlich war, kann mittels Budgets nicht bestimmt werden. Sie liefern keine Messgrößen zur Steuerung („weicher") kritischer Erfolgsfaktoren, wie z.B. der Kundenzufriedenheit

Problemfeld (5): *Hierarchische „command & control" Strukturen als Barrieren für Innovativität und Kreativität*

Erkenntnisse aus dem Bereich der Lern- und Kontrollforschung weisen darauf hin, dass die mit der Budgetierung verbundene Fremdkontrolle demotivierend wirken und kreatives bzw. innovatives Denken behindern kann.[82] Verstärkt wird dies weiter durch hierarchische Unternehmensstrukturen und als „aufkommandiert" empfundene Top-Down-Zielvorgaben. Da sie Innovationsgeist und Kreativität blockiert, gilt die Budgetierung auch als Barriere und standhaftes „Immunsystem" für den Versuch, auf radikale Produktivitäts- und Wertsteigerung abzielende Management-Werkzeuge zu etablieren.[83] Darüber hinaus blockiert die klassische Budgetierung auch die Realisierung des Potenzials einer Vielzahl von anderen Instrumenten (z.B. Balanced Scorecard).[84]

In einer Zeit in der Unternehmen neben Kunden auch immer mehr um fähige Mitarbeiter („war for talents") und Investoren konkurrieren, gelten derartige Strukturen nicht gerade als besonders „attraktiv" – kurzum sie stellen in diesem Zusammenhang einen Wettbewerbsnachteil dar.[85]

Problemfeld (6): *Verstärkte Tendenz zu dysfunktionalem Verhalten*

Die Kombination von Prognose, Motivation und Kontrolle in einem Instrument führt tendenziell zu dysfunktionalem Verhalten bei den Budgetverantwortlichen.[86] Die Angst vor negativen Konsequenzen für ihre Vergütung oder Karriere bei Nichteinhaltung der Budgets führt dazu, dass entweder die Prognose, sprich das Budget, ex ante durch das

---

[82] vgl. hierzu und im Folgenden Weber/Linder (2003), S. 13; Weber/Linder (2004a), S. 224 f.; Schäffer (2001), S. 208 f.; Leahy (2001), S. 22

[83] vgl. Pfläging (2003b), S. 188; Daum (2002), S. 398 f.

[84] vgl. Schäffer (2003), S.1; [IMANENT]; siehe hierzu auch Abb. 16, Kap. 8.1.

[85] vgl. Hope/Fraser (1999), S. 16

[86] vgl. hierzu und im Folgenden Weber/Linder (2003), S. 13; Baum/Coenenberg/Günther (2004), S. 371

Einrichten von Budgetpuffern (Budgetary-Slack) verzerrt wird oder aber durch Kunstgriffe, wie z.B. Andersbuchungen, ex post versucht wird, das IST dem SOLL anzugleichen. Der Einbau von Budgetpuffern erfolgt in der Regel während der Budgetverhandlungen im Gegenstromverfahren und wird in der Literatur auch als „Taktische Spielchen“ bezeichnet.[87] Diese Spielchen sind neben dem dysfunktionalen Verhalten auch für einen nicht unerheblichen Ressourcenaufwand durch etliche Verhandlungsrunden verantwortlich. Überhaupt erst ermöglicht werden sie durch die herrschende Informationsassymetrie zwischen Managern und Unternehmensführung. [88] Manager wissen z.B. in der Regel die Erreichbarkeit ihrer Ziele unter den gegebenen Umfeldbedingungen besser einzuschätzen als dies die Unternehmensführung zu tun vermag. Ohne eine Informationsassymetrie, würde von Seiten der Unternehmensführung der Einbau von Budgetpuffern oder die Manipulation der IST-Werte bemerkt und unterbunden werden.

Weiter führen Budgets zu einem stark ausgeprägten Abteilungsdenken anstelle globalen Wissensaustauschs (knowledge-sharing) innerhalb des Unternehmens. [89]

Derartiges Verhalten beeinträchtigt erheblich die Effektivität und Effizienz des gesamten Prozesses sowie dessen Durchsetzungsgrad.[90] Außerdem werden dadurch wesentliche Funktionen der Budgetierung unterlaufen.

Problemfeld (7): *Mangelnde IT-Unterstützung*

Der Budgetierungsprozess ist durch eine mangelnde IT-Unterstützung gekennzeichnet.[91] Obwohl mittlerweile adäquate Planungssoftware am Markt verfügbar ist, greifen Unternehmen weiterhin in hohem Maße auf Eigenentwicklungen mit Microsoft EXCEL zurück.[92] Gleichzeitig scheinen aber auch die Planungs- und Budgetierungsmodule der in den Unternehmen existierenden ERP-Systeme (Enterprise Ressource Planning System), wie z.B. SAP R/3, nur sehr beschränkt eingesetzt zu werden. Der Einsatz angemessener Software ist somit nur bei wenigen Unternehmen realisiert. Betrachtet man die gängigen Excel-Lösungen und ihre Nachteile hinsichtlich Wartung, Erweiterbarkeit, Stabilität, Konsistenz der Datenstruktur, Verarbeitungsgeschwindigkeit, fehlender Multi-User-Fähigkeit etc., dann verbirgt sich

[87] vgl. hierzu und im Folgenden Meyer (2004), S. 292; Steele/Albright (2004), S. 176 ff.
[88] vgl. hierzu und im Folgenden Bunce/Fraser/Hope (2003), S. 70 f.
[89] vgl. Leahy (2001), S.24
[90] vgl. hierzu und im Folgenden Weber/Linder (2003), S. 13; Baum/Coenenberg/Günther (2004), S. 371
[91] vgl. Gleich/Kopp/Leyk (2003b), S. 461
[92] vgl. hierzu und im Folgenden Link/Orbán (2002), S. 16; Oehler (1998), S. 296 ff.; Leahy (2001), S. 22

hinter dem Einsatz integrierter Softwarelösungen für den Budgetierungsprozess ein beachtliches Potenzial für weitgehende Verbesserungen.

Problemfeld (8): *Zahlenfriedhöfe*

Die Budgetierung und das mit ihr verbundene Budget-Reporting neigen dazu, Zahlenfriedhöfe zu erzeugen, die eher vom Wesentlichen weg- als hinführen.[93] Es ist sinnvoller, wenige Zahlen sorgfältig zu betrachten und zu hinterfragen, als Zahlenmassen vom Computer in alle denkbaren Beziehungen zu bringen. So bringt das monatliche Auswerten, Analysieren und Reporten des Telekommunikationsbudgets oder des Reisekostenbudgets einzelner Abteilungen in der Regel wenig Erkenntnis, gehört aber trotzdem zur gängigen betrieblichen Praxis. Maschinell erstellte Zahlenfriedhöfe sind für die Unternehmensführung daher nicht geeignet. Sie lenken lediglich die Entscheidungsträger von der Konzentration auf das Wesentliche ab.

„Insgesamt ergibt sich aus heutiger Sicht somit – im Gegensatz zum dominanten Eindruck zu ihren „Blütezeiten" in der ersten Hälfte des 20. Jahrhunderts – ein eher ambivalentes Bild der Budgetierung."[94] Bei dieser großen und vielfältigen Ansammlung von Problemfeldern, die klassische Budgetierung betreffend, verwundert es mittlerweile sogar, warum diese überhaupt noch eingesetzt wird.[95] Zumal die Kritik an Budgets und der Budgetierung nichts Neues ist.[96] Veröffentlichungen aus den 50'er Jahren weisen bereits auf dysfunktionale Wirkungen der Budgetierung hin.[97] Jedoch wurden sie lange Zeit verschwiegen oder nur unzureichend diskutiert.[98] Erst die in Kapitel 1.1 angesprochenen Veränderungen im Wettbewerbsumfeld brachten sie wieder zurück auf die Agenda. Seit Ende der 90er Jahre werden mehrere Ansätze zur Neugestaltung der Budgetierung als Reaktion auf die dargestellten Problemfelder vorgeschlagen.[99] Dabei müssen insbesondere die in Kapitel 2 bereits kurz vorgestellten Ansätze des *Better Budgeting* (2.2.) und des *Beyond Budgeting* (2.3.) hervorgehoben werden.[100] Beide Ansätze sollen in den nun folgenden Kapiteln 4 („Der Ansatz des Better Budgeting") und 5 („Der Beyond Budgeting Ansatz") ausführlich betrachtet sowie auf ihre Möglichkeiten im Sinne der Verbesserung bzw. Abschaffung der Problemfelder der klassischen Budgetierung und ihrer Grenzen im Sinne einer

---

[93] vgl. hierzu und im Folgenden Brandes (2004), S. 58 f.
[94] Weber/Linder (2003), S. 14
[95] vgl. Rieg (2004), S. 474
[96] vgl. hierzu und im Folgenden Weber/Linder (2005), S. 221
[97] siehe hierzu u.a. Argyris (1952), S.25; Heckert/Wilson (1955), S. 402-409
[98] vgl. hierzu und im Folgenden Hope/Fraser (2003), S. 4
[99] vgl. Weber/Linder (2003), S. 14
[100] vgl. Horváth (2003c) (ZfCM), S. 7 f.

kritischen Reflexion der Ansätze aus wissenschaftlicher Sicht analysiert werden. Abbildung 4 soll die in diesem Abschnitt getätigten Ausführungen hinlänglich potenzieller Problemfelder der klassischen Budgetierung nochmals grafisch zusammenfassen:

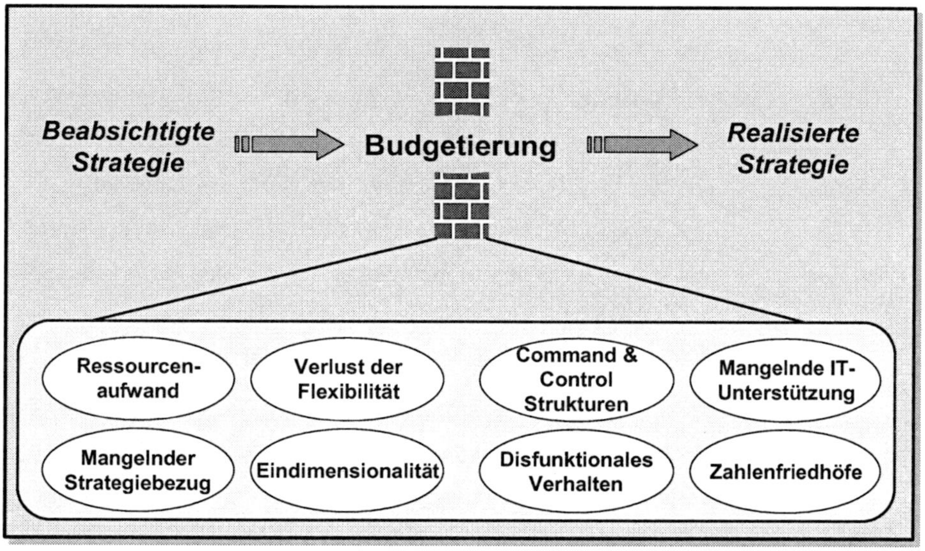

Abbildung 4: Problemfelder des Konzepts der klassischen Budgetierung (Quelle: In Anlehnung an Greiner (2004), S. 4)

4. Der Ansatz des Better Budgeting

4.1. Der Ansatz im Überblick

Unter dem Begriff *Better Budgeting* (oder z.T. auch als Advanced Budgeting bezeichnet) wird eine Vielzahl mehr oder weniger variierender Konzepte zur Lösung der Problemfelder der klassischen Budgetierung diskutiert.[101] Dabei wird versucht, die traditionellen Funktionen der Budgetierung (siehe Kap. 3.1.), vor allem die ergebniszielorientierte Koordination, weiterhin zu nutzen und durch eine Reform der klassischen Budgetierung zu verbessern.[102] Allgemeines Ziel dieser Konzepte ist es, durch eine schrittweise und permanente Marktorientierung und Entfeinerung die Budgetierung effizienter zu gestalten.[103] Gleichzeitig wird beabsichtigt, die Prognosegüte durch eine verstärkte analytische Neuplanung zu heben und eine bessere Verknüpfung mit der Strategie zu erreichen.[104]

Neuere Methoden der Budgetierung, wie z.B. Zero-Based-Budgeting, Scratch-Line-Budgeting, Kaizen-Budgeting oder Activity-Based-Budgeting, bzw. Managementinstrumente wie das Benchmarking oder die Balanced Scorecard können dabei isoliert oder auch gemeinschaftlich Einsatz finden.[105] Je nach Ausprägung und Anwendung sollen diese Einfluss auf die Effektivität (Die richtigen Dinge tun!) oder auf die Effizienz (Die Dinge richtig tun!) der Budgetierung haben. Die Auswahl, die Kombination und letztlich der Einsatz der Methoden und Instrumente erfolgt unter Berücksichtigung von drei grundlegenden Aspekten:

1. Es soll eine Verkürzung und Verbesserung des bestehenden Planungs- und Budgetierungsprozesses im Sinne von mehr Flexibilität erreicht werden.
2. Der Ressourcenaufwand soll reduziert und nicht erhöht werden.
3. Die Qualität der Planungsinformationen soll verbessert werden.

Wie bereits in Kap. 2.2. erwähnt, stellen also Vertreter des *Better Budgeting* Ansatzes die klassische Budgetierung an sich nicht in Frage.[106] Der Ansatz basiert vielmehr auf der klassischen Budgetierung.[107]

Durch die individuellen Ausgestaltungsmöglichkeiten dieses Ansatzes handelt es sich um ein individuelles, offenes Planungssystem (im Sinne eines Sammelbeckens

---

[101] vgl. Weber/Linder (2003), S. 14
[102] vgl. Mitter/Feldbauer-Durstmüller (2005), S. 121
[103] vgl. Gleich/Kopp/Leyk (2003a), S. 316
[104] vgl. Weber/Linder (2004a), S. 224
[105] vgl. hierzu und im Folgenden Amrein/Widmer/Witmer (2003), S. 626
[106] vgl. Greiner (2004), S. 82; Sure/Thiel (2005), S. 12 f.
[107] vgl. Horváth/Möller (2004), S. 70

unterschiedlicher Vorschläge) und nicht wie beim *Beyond Budgeting* Ansatz um ein geschlossenes Konzept mit definierten Prinzipien, Instrumenten und Methoden.[108]

4.2. Die Verbesserungsaspekte des Better Budgeting

Better Budgeting versucht, die klassische Budgetierung hinsichtlich zweier grundlegender Aspekte zu optimieren. Zum einen im Hinblick auf den funktionellen Aspekt im Sinne einer Fokussierung der Planungsinhalte und zum anderen im Hinblick auf den institutionellen Aspekt im Sinne der Verkürzung des Budgetierungs-prozesses.[109]
Im Nachfolgenden werden nun zehn unterschiedliche Vorschläge, die im Rahmen eines *Better Budgeting* zur Optimierung der beiden Aspekte führen sollen, dargestellt:[110]

1. **Koordination durch Budgets (Pläne):** Diese Form der Koordination wird nicht – wie beim *Beyond Budgeting* – durch ein anderes Koordinationsinstrument ersetzt, sondern beibehalten und soll an die Anforderungen einer dynamischen Umfeldsituation angepasst werden.

2. **Dezentralisierung:** Durch einen vereinfachten Budgetvereinbarungs- sowie Budgetverabschiedungsprozess und eine verstärkt dezentrale Planung soll der Budgetierungsprozess verkürzt und flexibilisiert werden. Gleichzeitig wird dadurch auch die Zahl der zu planenden Kostenarten, Kostenstellen und Kostenträger auf die wesentlichen reduziert. Die restlichen Bereiche und Produkte werden lediglich pauschal budgetiert, wobei hier zu erwartende Standardisierungseffekte genutzt werden sollen.

3. **Fokussierung und Entfeinerung:** Durch die stärkere Fokussierung auf vornehmlich erfolgskritische Prozesse kann die Anzahl der erforderlichen Budgets und Vorgabegrößen erheblich reduziert werden. Weiter werden noch schnellere Forecasts (Vorschauinformationen) anstatt detaillierter budgetbasierter Rechnungen und die Einsparung von Planungsstufen taktischer Art angestrebt.

4. **Analytische Neuplanung:** Eine analytische Neuplanung, wie sie mittels des Zero-Based-Budgeting oder des Activity-Based-Budgeting durchgeführt werden kann, ersetzt die bei der klassischen Budgetierung des Öfteren vorzufindende vergangenheitsorientierte Fortschreibungsmethodik.

---

108 vgl. Treuz (2004), S. 344
109 vgl. Horváth (2003a), S. 250
110 vgl. hierzu und im Folgenden Weber/Linder (2003), S. 14 f.; Schäffer/Zyder (2003), S. 107; Mitter/Feldbauer-Durstmüller (2005), S. 121 f.

5. **Relative, benchmarkorientierte Zielvorgaben:** An die Stelle von intern orientierten, absoluten Budgetzielen/Budgets treten per Benchmarking ermittelte relative, marktorientierte Ziele. Dadurch adjustieren sich die Zielvorgaben kontinuierlich und umfeldabhängig von selbst und stellen eine bessere Grundlage im Sinne der objektiven Leistungsbeurteilung dar, wie Abbildung 5 anhand eines Beispiels visuell veranschaulichen soll.

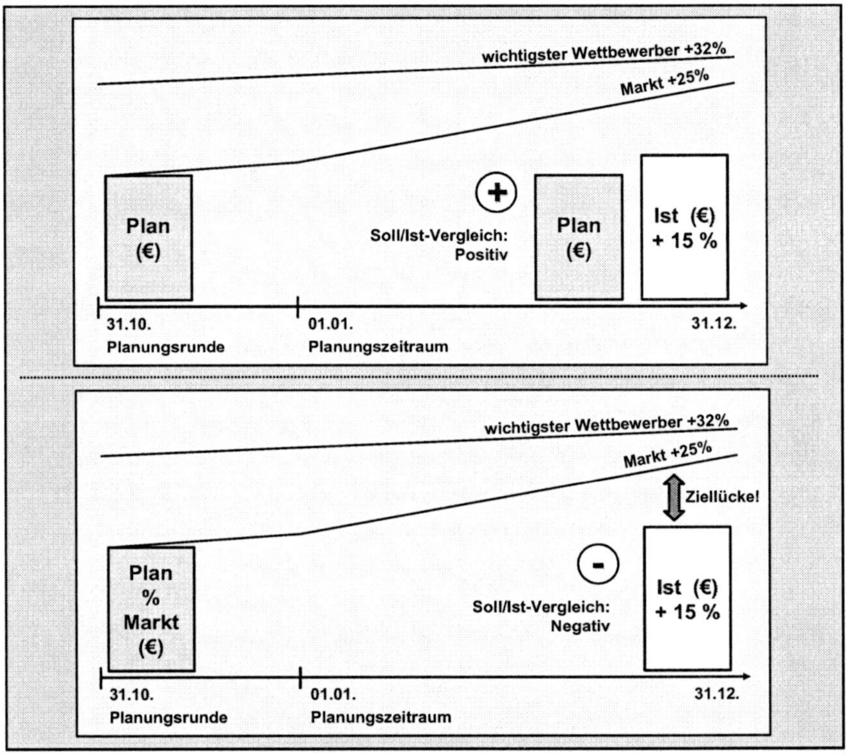

Abbildung 5: Relative statt fixe Ziele
(Quelle: Kopp/Leyk (2004), S. 11)

6. **Strategieorientierung:** Durch eine stärkere Fokussierung auf Performancegrößen und weniger auf finanzielle Kennzahlen sowie den Einsatz der Balanced Scorecard und/oder der Verwendung von strategischen Budgets soll eine stärkere Verbindung von Budgetierung und strategischer Planung erzielt werden.

7. **Rollierende Prognose:** Für Unternehmen im turbulenten Umfeld ist es wichtig, sich durch die Einführung von Rolling Forecasts vom gängigen Jahresrythmus der Budgetierung zu lösen. Durch eine kalenderjahrunabhängige, (monats- oder quartalsweise) rollierende Planung und Prognose eines gleich bleibenden Zeithorizontes (üblicherweise zwölf bis achtzehn Monate) lassen sich Umfeldentwicklungen schneller feststellen und somit leichter berücksichtigen.

8. **Selbstkontrolle:** Entlastung des Reportings durch Reduzierung der Frequenz und Anzahl der fremdkontrollbasierten Budgetkontrollen zugunsten von Selbstkontrollen der Budgetverantwortlichen. Dadurch kann eine stärkere Akzentuierung des Reportings auf „das eigentlich Wesentliche" vollzogen werden.

9. **Reduktion dysfunktionaler Aspekte:** Um die im Rahmen des Problemfeldes (6) (siehe Kap. 2.2.) angesprochenen dysfunktionalen Effekte (z.B. Budgetary Slack) der klassischen Budgetierung zu vermeiden, wird von manchen Autoren[111] eine Entkopplung des Anreiz- bzw. Vergütungssystems von der Budgetzielerreichung vorgeschlagen. Neben der Reduktion dysfunktionaler Effekte soll auch die Prognosegüte, bei gleichzeitiger Eindämmung von Budgetmanipulationen, erhöht werden.

10. **Stärkere Unterstützung des Planungsprozesses durch Planungswerkzeuge:** Ein verstärkter Einsatz von den Planungsprozess unterstützenden Planungs- und Kontrollsoftwaresystemen soll eine Aufwandsreduktion des Budgetierungsprozesses bewirken.[112]

So unterschiedlich wie die Verbesserungsaspekte im Sinne eines *Better Budgetings* sind, sind auch die bereits erwähnten neueren Budgetierungsmethoden bzw. -konzepte. Im folgenden Kapitel sollen mögliche Elemente eines *Better Budgeting* Konzepts vorgestellt werden.

4.3. Mögliche Elemente eines Better Budgeting Konzepts im Überblick

Nachfolgend sollen kurz mögliche Elemente eines *Better Budgeting* Konzepts vorgestellt und auf dazu weiterführende Literatur verwiesen werden.

4.3.1. Zero-Based-Budgeting (ZBB)[113] (und Scratch-Line-Budgeting)[114]

Das Zero-Based-Budgeting (ZBB) wurde in den 60er Jahren von Peter A. Pyhrr bei der Firma Texas Instruments entwickelt.[115] Es ist ein hocheffizienter und outputorientierter Analyse- und Planungsprozess, der sich vor allem zur Kostensenkung und Ressourcenallokation in Gemeinkostenbereichen eignet.[116]

---

[111] siehe hierzu u.a. Gleich/Kopp/Leyk (2003a), S. 317
[112] vgl. hierzu u.a. Haeseler/Hörmann (2005), S. 148 ff.; Oehler (2002), S. 155-157
[113] siehe hierzu weiterführend u.a. Pyhrr (2003); Horváth (2003), S. 270-279
[114] siehe hierzu weiterführend u.a. Lücke (1988)
[115] vgl. Pyhrr (2003), S. 28-1
[116] vgl. hierzu und im Folgenden Leyk/Kopp (2004), S. 20

Grundprinzip ist die Vermeidung von Budgetfortschreibungen. Bei dieser extremsten Form der analytischen Neuplanung werden Budgets durch ein strukturiertes Verfahren von in der Zukunft weniger wichtigen zu wichtigeren Aufgaben verschoben.

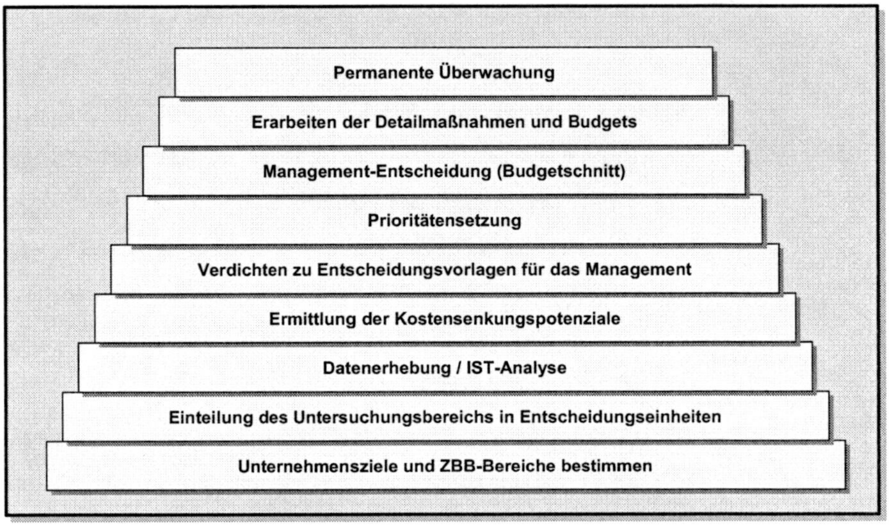

Abbildung 6: Vorgehensstufen beim Zero-Based-Budgeting
(Quelle: In Anlehnung an Horváth (2003), S. 272; Leyk/Kopp (2004), S. 21)

Abbildung 6 beschreibt den Ablauf des ZBB, bei dem jeder Budgetverantwortliche sein Budget vollständig und detailliert von Grund auf („Zero Base") begründen muss.[117]

Den Vorzügen des ZBB im Sinne des *Better Budgeting,* wie analytische Neuplanung, keine Fortschreibung, Dezentralisation usw., steht ein erheblicher Ressourcenaufwand negativ gegenüber.[118] Dies dürfte auch der Grund dafür sein, dass sich das ZBB in den vergangenen Jahren trotz seiner Vorteile nicht wirklich durchsetzen konnte. Als Element eines *Better Budgeting* Konzepts, welches eine entfeinerte bzw. stark fokussierte Budgetierung propagiert, könnte der Aufwand des ZBB begrenzt und somit das Kosten-Nutzen-Verhältnis im positiven Bereich liegen.

Als Reaktion auf die Kritik bezüglich des hohen Ressourcenaufwandes des ZBB wurde das Scratch-Line-Budgeting (SLB) als eine, die Vorteile der klassischen Budgetierung mit denen des ZBB verbindende und flexibel an betriebsspezifische Gegebenheiten anzupassende, Kombination der Konzepte entwickelt.[119] Da viele Vorgänge in jeder Periode fast unverändert vorkommen, erscheint für diese eine ständige Analyse und gegebenenfalls Neuplanung durch das ZBB zu aufwändig.[120] Solche standardisierten

---

[117] vgl. Horváth (2003), S. 271
[118] vgl. hierzu und im Folgenden Weber (2004), S. 404 f.
[119] vgl. [Scharer, M.]
[120] vgl. hierzu und im Folgenden Lücke (1988), S. 264 ff.

Prozesse werden entsprechend der klassischen Budgetierung fortgeschrieben. Die nicht-standardisierten Vorgänge werden jede Periode neu überprüft und mittels des ZBB neu budgetiert. Die Grenzziehung zwischen standardisierter und nicht-standardisierter Aktivität stellt dabei die so genannte „scratch-line" dar. Diese kann sich dabei entweder nach dem Budgetvolumen oder nach der Art der Unternehmensaktivität richten.[121] Weiter soll aber im Rahmen dieser Arbeit nicht auf das SLB-Konzept eingegangen und daher an dieser Stelle auf die angegebene weiterführende Literatur verwiesen werden.[122]

4.3.2. *Activity-Based-Budgeting*[123]

Das Ende der 80er Jahre entwickelte Activity-Based-Budgeting (ABB), synonym auch als prozessorientierte Budgetierung bezeichnet, vollzieht eine Verschiebung des Schwerpunktes in der Budgetierung auf die Prozesse hin.[124] Es stellt neben dem Zero-Based-Budgeting die zweite im Rahmen des *Better Budgeting* diskutierte Elementalternative dar.[125]

Im Gegensatz zur klassischen Budgetierung wird beim ABB das Budget auf Basis der in und zwischen den verschiedenen Entscheidungseinheiten ablaufenden Prozesse und nicht auf Basis von Funktionen gebildet.[126]

Ausgangspunkt für die Entwicklung des ABB war die Kritik an der Inputorientierung der klassischen Budgetierung.[127] Durch eine, im Gegensatz zur klassischen Budgetierung, konsequente Ableitung des Ressourcenbedarfes von der Ressourcen-nachfrage stellt die prozessorientierte Budgetierung einen outputorientierten Planungsansatz dar (siehe Abbildung 7).

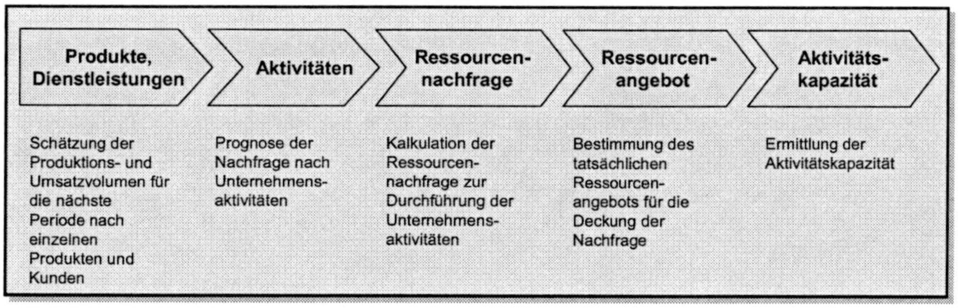

Abbildung 7: Ablauf des Activity-Based-Budgeting (Quelle: Fink (2003), S. 146)

---

[121] vgl. [e-Industrial-Services]
[122] siehe hierzu weiterführend u.a. Lücke (1988)
[123] siehe hierzu weiterführend Brimson/Antos (2003); Fink (2003), S. 145-149
[124] vgl. Koptik/Oehler (2003), S. 439
[125] vgl. Weber (2004), S. 405
[126] vgl. Russel/Patel/Wilkinson-Riddle (2002), S. 128
[127] vgl. hierzu und im Folgenden Fink (2003), S. 145 f.

Wie beim ZBB steht den Vorzügen des ABB im Sinne des *Better Budgeting,* wie Dezentralisation, Fokussierung des Reportings, externer und interner Vergleich durch Benchmarking, Einbezug der strategischen Planung usw., ein erheblicher Ressourcenaufwand negativ gegenüber.[128]

4.3.3. Weitere mögliche Elemente

Neben den Konzepten des Zero-Based-Budgeting, Scratch-Line-Budgeting und Activity-Based-Budgeting werden in der Literatur weitere Konzepte, wie z.B. Kaizen-Budgeting[129], Target-Project/Cost-Budgeting[130] oder Planning-Programming-Budgeting-Systems (PPBS)[131], als mögliche Teilkonzepte einer umfassenden Verbesserung der klassischen Budgetierung im Sinne des *Better Budgeting* genannt.[132] Da sie aber nur vereinzelt Erwähnung finden, sollen sie im Rahmen dieser Arbeit unter Hinweis auf weiterführende Quellen zwar genannt, aber nicht genauer betrachtet werden.

Die im Rahmen des *Better Budgeting* Ansatzes erwähnten Instrumente, wie z.B. Balanced Scorecard, Rolling Forecasts oder Benchmarking, werden im Verlauf des *Beyond Budgeting* Ansatzes (Kap. 5.3.) eingehender vorgestellt und diskutiert.

Im nun folgenden Kapitel (4.4.) wird eine konkrete Umsetzung eines ganzheitlichen Konzepts im Sinne des *Better Budgeting* aufgezeigt.

4.4. Das Advanced Budgeting Konzept

Das Advanced Budgeting Modell wird in der Literatur zum Teil als eigenständiger, die Prinzipien von *Better* und *Beyond Budgeting* verbindender Ansatz dargestellt.[133] Da der Ansatz aber nicht auf Budgets verzichtet und vornehmlich Aspekte des *Better Budgeting* enthält, soll er, wie u.a. bei *Weber/Linder*[134] oder *Mitter/Feldbauer-Durstmüller*[135] geschehen, als eine konzeptionelle Umsetzung des *Better Budgeting* Ansatzes verstanden werden.[136]

---

[128] vgl. Brimson/Antos (2003), S. 31-1 ff.
[129] siehe weiterführen Wolbold (1995), S. 52 ff.
[130] siehe weiterführend Wittmann (1998), S. 150 ff.
[131] siehe weiterführend Ossadnik (2003), S. 251
[132] vgl. Rieg (2004), S. 476 f.; Oehler (2002), S. 86 ff.;
[133] vgl. u.a. Leyk/Kopp (2004), S. 49 ff.; Gaiser (2004), S. 46 ff.; Gleich/Kopp/Leyk (2003b), S. 462 ff.
[134] vgl. u.a. Weber/Linder (2003), S. 14
[135] vgl. Mitter/Feldbauer-Durstmüller (2005), S. 121
[136] vgl. Mitter/Feldbauer-Durstmüller (2005), S. 137

Das von der Unternehmensberatung *Horvath & Partners* entwickelte Konzept zielt mittelfristig auf eine abnehmende Bedeutung von Budgets bei kurzfristiger Steigerung der Planungsqualität und Verringerung des Budgetierungsaufwands ab.[137]

Die Neugestaltung der Planung und Budgetierung folgt dabei drei wesentlichen Stoßrichtungen (siehe Abbildung 8).[138]

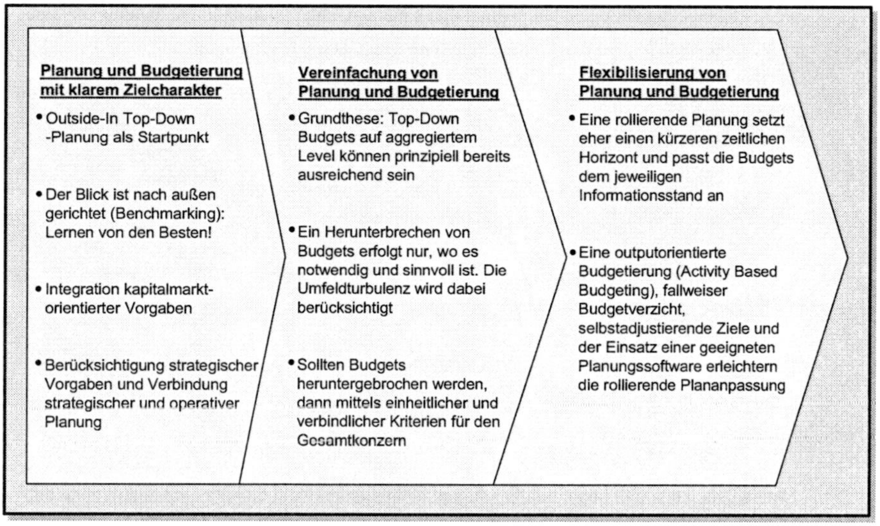

Abbildung 8: Der Advanced Budgeting Ansatz im Überblick (Quelle: Gleich/Kopp/Leyk/Roß (2003), S. 733)

Planung und Budgetierung mit klarem Zielcharakter

Planungsbasis sind nicht mehr zum Teil fortgeschriebene, intern orientierte (Kosten-) Ziele, sondern externorientierte, mittels Benchmarking generierte Ziele.[139] Die Zielvorgabe an die Entscheidungseinheiten erfolgt dann Top-Down durch die Unternehmensführung und setzt so einen verbindlichen Gesamtrahmen für den weiteren Prozessablauf. Durch die Berücksichtigung von Vorgaben aus der strategischen Planung und daraus resultierenden Maßnahmen wird eine bessere Verzahnung von strategischer und operativer Planung erzielt. Strategische und operative Planung sind somit Teile eines integrierten Planungsprozesses.

Vereinfachung der Planung und Budgetierung

Eine vollständige und detaillierte Budgetplanung wird in geeigneten Bereichen grundsätzlich durch Globalbudgets ersetzt, bei denen auf eine detaillierte Planung von Kostenarten und -stellen verzichtet werden kann.[140] Eine solche Vorgehensweise

[137] vgl. Gleich/Kopp/Leyk (2003b), S. 462
[138] vgl. Gleich/Kopp/Leyk/Roß (2003), S. 733
[139] vgl. hierzu und im Folgenden Gleich/Kopp/Leyk/Roß (2003), S. 733
[140] vgl. hierzu und im Folgenden Gaiser/Gleich (2004), S. 26

erscheint für alle Bereiche sinnvoll, die einen gewissen Grad an Kontinuität bezüglich Leistungserstellung und Kostenentwicklung aufweisen. Detailbudgets werden nur noch für Bereiche erstellt, die eine hohe Komplexität und Dynamik aufweisen. Dabei handelt es sich um Bereiche, deren Leistungserstellung und Kostenentwicklung starken Schwankungen unterliegen.

Flexibilisierung der Planung und Budgetierung

Relative, marktbezogene und somit selbstadjustierende Ziele sollen absolute Ziele mehr oder weniger ersetzen und so zur Flexibilisierung der Planung und Budgetierung entscheidend beitragen.[141] Darüber hinaus soll der starre Jahresbezug der Budgetierung durch dynamisch rollierende Forecasts gelockert werden. Zur Steuerung sollen außerdem die finanziellen Steuerungsgrößen um weitere relevante, nicht-finanzielle Größen erweitert werden. Diese sollen helfen, frühzeitig interne und externe Veränderungen zu identifizieren. Ein Advanced Budgeting Konzept kann, wie in Abbildung 9 dargestellt, in drei Schritten eingeführt werden.[142] Im ersten Schritt erfolgt eine IST-Analyse des augenblicklichen Zustands der Planungs- und Budgetierungs-systeme. Darauf basierend erfolgt dann die Neugestaltung der Planung im Sinne des Advanced Budgeting und schließlich wird im letzten Schritt festgelegt, wie das Konzept eingeführt und realisiert werden kann. Der gesamte Prozess wird laufend im Rahmen einer Coachingphase begleitet.

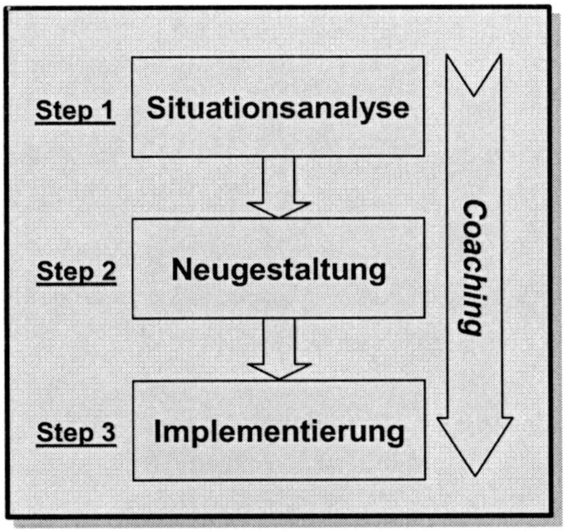

Abbildung 9: Der Drei-Stufen-Einführungsprozess des Advanced Budgeting (Quelle: textliche Anlehnung an Gleich/Kopp/Leyk (2003b), S. 464)

[141] vgl. hierzu und im Folgenden Gaiser (2004), S. 47; Leyk/Kopp (2004), S. 51 ff.

[142] vgl. hierzu und im Folgenden Gleich/Kopp/Leyk (2003b), S. 464; Leyk/Müller (2006). S. 380

Informationen über Vor- und Nachteilen, bzw. der praktischen Umsetzbarkeit des Konzepts liefern bislang allein die Entwickler des Advanced Budgeting. Daher kann hier nur auf die von *Horváth & Partners* angegebene gute praktische Umsetzbarkeit verwiesen werden.[143] Jedoch ist dabei auch der Aspekt des „Abverkaufens" zu berücksichtigen *Horváth & Partners* ist eine Unternehmensberatung, die vom „Abverkaufen" ihrer Beratungsdienstleistung und den damit verbundenen Systemen, wie z.B. dem Advanced Budgeting, lebt. Daher ist eine Darstellung von signifikanten Nachteilen oder gar Informationen über Misserfolge im Rahmen der Implementierung eines solchen Konzepts von dieser Seite nicht zu erwarten und somit eine absolute Vorteilhaftigkeit des Advanced Budgeting gegenüber der klassischen Budgetierung, dem *Beyond Budgeting* oder anderen *Better Budgeting* Konzepten bis auf weiteres fraglich.

4.5. Zusammenfassung und Reflexion

Nachfolgend soll eine kritische Reflexion und zusammenfassende Bewertung des *Better Budgeting* erfolgen.

4.5.1. Neuigkeitsgrad

Die Verbesserungsaspekte des *Better Budgeting* Ansatzes sowie die angesprochenen Elemente und Instrumente sind allesamt nicht neu.[144] Ein Ansatz zur Entfeinerung der Budgetierung wurde u.a. bereits 1994 von *Weber* vorgeschlagen, und auch die analytische Neuplanung im Verfahren des Zero-Based-Budgeting wurde bereits in den 70er Jahren umgesetzt.[145] Neu ist lediglich die Forderung nach ihrer gemeinschaftlichen Umsetzung bzw. Anwendung zur Effektivitäts- und Effizienzsteigerung der klassischen Budgetierung.

4.5.2. Empirische Fundierung

Die bislang vorliegenden empirischen Erkenntnisse stützen die zentralen Anliegen des *Better Budgeting*.[146] So tragen - nach einer Studie von *Weber/Schäffer/Willauer* aus dem Jahr 2000[147] - die durch eine Entfeinerung der Budgetierung mögliche verstärkt analytische Neuplanung und die intensivere Durchdringung der Planungsgegenstände

---

[143] vgl. [Horváth & Partners]
[144] vgl. Pfläging (2003a), S. 158
[145] vgl. hierzu und im Folgenden Weber/Linder (2003), S. 19
[146] vgl. hierzu und im Folgenden Weber/Linder (2005), S. 229
[147] siehe Weber/Schäffer/Willauer (2000)

zu einer signifikanten Verbesserung der Planungsgüte bei. Beides wirkt sich positiv auf die Effizienz, Effektivität und Durchsetzung der Budgetierung aus. Auch für den höheren Dezentralisierungsgrad wird im Rahmen der Studie ein positiver Nutzenbeleg gefunden.

4.5.3. Potenzielle Problembereiche in der Praxis

Zwar lässt die empirische Belegbarkeit zentraler Aspekte des *Better Budgeting,* dessen praktische Umsetzung als sinnvoll erscheinen, jedoch darf nicht übersehen werden, dass es bisher kein einheitliches *Better Budgeting* Konzept gibt.[148] Wie zu Beginn von Kapitel 4.1. bereits erwähnt, handelt es sich bislang lediglich um ein Sammelbecken von verschiedenen, mehr oder minder variierenden Verbesserungsvorschlägen zur Lösung der Problemfelder der klassischen Budgetierung.[149] Die dem Verfasser bislang einzig bekannte konzeptionelle Umsetzung des *Better Budgeting* Ansatzes ist das im vorherigen Kapitel vorgestellte Advanced Budgeting Konzept von *Horvath & Partners.* Die Problematik der empirischen Fundierung dieses speziellen Konzepts wurde dort bereits diskutiert.

Ebenso fragwürdig erscheint, inwieweit die Reduzierung des Zeitaufwands bei einem gleichzeitig jährlich hohem analytischem Neuplanungsanteil realisiert werden kann.[150]

4.5.4. Konzeptionelle Eignung (Prognose, Koordination, Motivation)

Das *Better Budgeting* unterscheidet sich von der klassischen Budgetierung durch eine stärkere Fokussierung, reduzierten Detaillierung sowie einem höheren analytischen Neuplanungsanteil.[151] Die Koordinations-, Motivations- und Prognosemechanismen werden unter Berücksichtigung der drei oben genannten Aspekte ganz oder teilweise übernommen. Damit stellt der Ansatz des *Better Budgeting* zwar eine bessere Anpassung an dynamische Umfelder dar, kann aber nicht wie die klassische Budgetierung im hoch komplexen Umfeld überzeugen. Sie stellt den Mittelweg zwischen klassischer Budgetierung und *Beyond Budgeting* dar.[152] Es kann festgehalten werden, dass das *Better Budgeting* konzeptionell für ein mittel dynamisches und mittel komplexes Umfeld geeignet ist.[153]

---

[148] vgl. Leyk/Kopp (2004), S. 24
[149] vgl. Treuz (2004), S. 344
[150] vgl. Mitter/Feldbauer-Durstmüller (2005), S. 123
[151] vgl. hierzu und im Folgenden Weber/Linder (2003), S. 32 ff.
[152] vgl. hierzu und im Folgenden Weber/Linder (2004a), S. 226 f.
[153] siehe hierzu auch Abb. 17, Kap. 8.2.

4.5.5. Implementierbarkeit (personal, sachlich)[154]

Je nach Grad der tatsächlichen Umsetzung der Verbesserungsaspekte und unter Beachtung des Stands des zu „verbessernden“ Budgetierungssystems können der Implementierungsaufwand sowie die Zahl und die Resistenz potenzieller Implementierungshürden stark variieren.[155]

Mögliche (persönliche) Implementierungshürden können z.B. das veränderte Selbst- und Weltbild des *Better Budgeting* im Gegensatz zu dem der klassischen Budgetierung sein.[156] Vermittelte die klassische Budgetierung durch ihre Vollständigkeit und Detaillierung ein Selbstbild von Verlässlichkeit und Genauigkeit, so kann das *Better Budgeting* wegen seiner Fokussierung und Detailreduktion als „schlampig“ und „oberflächlich“ betrachtet werden. Auch der Wechsel von der internorientierten hin zur marktorientierten Steuerung sowie die Verkürzung von Entscheidungsprozessen, können zur Verunsicherung im Selbst- und Weltbild der beteiligten Mitarbeiter führen.

Im Hinblick auf die technischen (sachlichen) Voraussetzungen kann das *Better Budgeting*, je nach Stand der jeweiligen Informationstechnologie, durch die Anschaffung und Installation von geeigneter Planungssoftware einen erheblichen Investitionsaufwand darstellen.[157] Ebenso hängen Probleme bezüglich möglicher Elemente eines *Better Budgeting* Ansatzes von dem Ist-Zustand des jeweiligen Budgetierungssystems ab.

4.5.6. Zusammenfassende Bewertung

Für eine erste zusammenfassende Bewertung ergibt sich für den *Better Budgeting* Ansatz Folgendes:

- *Neuigkeitsgrad:* Evolution statt Innovation
- *Empirische Fundierung:* für das Gros der Verbesserungsaspekte gegeben
- *Konzeptionelle Eignung:* eingeschränkte Eignung (mittel-dynamisches / mittel-komplexes Umfeld)
- *Potenzielle Problembereiche in der Praxis:* fehlendes Gesamtkonzept!
- *Implementierung:* wird als relativ einfach eingestuft

Weiter wird - vornehmlich von Vertretern des Beyond Budgeting Round Table - der Ansatz als nicht weitreichend genug angesehen.[158] Denn aufgrund der weiteren Existenz

---

[154] siehe hierzu auch Abb. 18, Kap. 8.3.
[155] vgl. Jöchle (2004), S. 443 ff.
[156] vgl. hierzu und im Folgenden Weber/Linder (2004b), S. 69
[157] vgl. hierzu und im Folgenden Weber/Linder (2005), S. 264 f.
[158] vgl. hierzu und im Folgenden Pfläging (2003a), S. 158 ff.

von Budgets sei der Grund für die Steuerungsprobleme von Unternehmen im gegenwärtig turbulenten Umfeld nicht gelöst.

Der *Better Budgeting* Ansatz stellt die grundsätzlichen Prämissen der klassischen Budgetierung nicht in Frage, sondern strebt eine Verbesserung dieser an.[159] Daher wird die Implementierung des Ansatzes als relativ einfach angesehen, zumal es sich bei ihm um keine komplette Lösung, sondern vielmehr um eine „offene" Ansammlung von Verbesserungsaspekten handelt. Jedoch stößt der Ansatz dort an seine Grenzen, wo auch die Koordination durch Budgets an die ihren stößt – bei hoch dynamischen Umfeldern. Ein Ansatz der hier weiter greift, ist das *Beyond Budgeting*.

[159] vgl. hierzu und im Folgenden Mitter/Feldbauer-Durstmüller (2005), S. 123

5. Der Beyond Budgeting Ansatz

Nachdem im vorherigen Kapitel der Ansatz des *Better Budgetings* besprochen wurde, wird im nun Folgenden der *Beyond Budgeting* Ansatz einer genaueren Betrachtung unterzogen. Nach einem kurzen Überblick über seine Entstehung (Kap. 5.1.) wird die Ausgestaltung in Form von Gestaltungsprinzipien (Kap. 5.2.) und Instrumenten (Kap. 5.3.) beschrieben. In einem Fallbeispiel soll dann die konkrete praktische Umsetzung aufgezeigt werden (Kap. 5.4.). Den Abschluss des Kapitels bildet wie beim Ansatz des *Better Budgetings* eine kritische Reflexion des Ansatzes (Kap. 5.5.).

5.1 Entstehung des Beyond Budgeting

Zu Beginn der 90er Jahre wurde vom *Consortium for Advanced Manufacturing International (CAM-I)* eine unabhängige Forschungsvereinigung in den USA, ein Projekt unter dem Titel „Advanced Budgeting" ins Leben gerufen.[160] Ziel des Projektes war es, die gängige Budgetierungspraxis mit Hilfe einer aktivitätsbezogenen Betrachtung zu erweitern und zu verbessern.[161] Nach einiger Zeit wurde dieses Projekt aber mit dem Ergebnis eingestellt, dass eine bloße Erweiterung und Verbesserung der Budgetierung zu überwinden nicht ausreiche um die bestehenden Problemfelder. 1998 wurde das Projekt mit der Gründung des Beyond Budgeting Round Table (BBRT) von *Jeremy Hope*, *Robin Fraser* und *Peter Bunce* wieder belebt. Ziel war es, ein flexibles Planungs- und Kontrollkonzept zu entwickeln, das ohne Budgets im klassischen Sinne auskommt.[162] Hierzu wurden Unternehmen, wie z.B. Svenska Handelsbanken, Borealis, IKEA und Volvo untersucht, die auf die eine oder andere Art ohne klassische Budgets gesteuert werden (siehe Abbildung 10).

Als Ergebnis dieser empirischen Fallstudienuntersuchungen wurden zwölf Prinzipien für ein flexibleres Steuerungskonzept identifiziert, welche die traditionell von der klassischen Budgetierung übernommenen Funktionen der Prognose, Koordination und Steuerung erfüllen sollen.[163] Dabei betreffen sechs Prinzipien die Unternehmenskultur bzw. -struktur und sechs Prinzipien beziehen sich auf den Managementprozess (siehe hierzu Kap. 5.2.). Seit 2003 agiert der BBRT selbstständig als mitgliederfinanzierte Organisation.[164]

---

[160] vgl. hierzu und im Folgenden [Lingnau, V.], S. 2
[161] zur „gängigen Budgetierungspraxis" aus Sicht des BBRT siehe Abb. 19 Kap. 8.4
[162] vgl. hierzu und im Folgenden Hope/Fraser (2003), S. 17 f.; Fraser/Hope (2001), S. 440
[163] vgl. hierzu und im Folgenden Weber (2004), S. 375
[164] vgl. Sure/Thiel (2005), S. 11 f.

Ausgewählte BBRT-Cases	
Ahlsell (Sweden, Distribution)	**Leyland Trucks** (UK, Trucks mfg)
Borealis (Denmark, Petrochemicals)	**Norsk Hydro** (Norway, Energy)
Carnaud Metal Box (France, Packaging)	**Rhodia** (France, Specialty Chemicals)
Ciba Vision (USA, Eye Care)	**Omgeo** (USA, Finance)
Coors (USA, Brewing)	**Philips** (Netherlands, Devirsified)
Deutsche Bank (Germany, Banking)	**Ricoh** (UK, Printers & Cameras)
Fokus Bank (Norway, Banking)	**Schneider Electric** (France, Engineering)
Fortis (Belgium, Insurance)	**SKF** (Sweden, Ball Bearings)
Groupe Bull (France, Computers)	**UBS** (Switzerland, Banking)
Guardian Industries (USA, Glass mfg)	**Unilever** (UK/Netherlands, Consumer Prod.)
HP Bulmer (UK, Cidermaker)	**Volvo Cars** (Sweden, Car mfg)
IKEA (Sweden, Furniture mfg & Retailing)	**Wessanen** (Netherlands, FMCG Food)

Abbildung 10: Die BBRT-Cases
(Quelle: Modifikation von Leyk/Kopp (2004), S. 29)

Wie in Kap. 2.3. bereits erwähnt wurde, propagiert der *Beyond Budgeting* Ansatz einen vollkommenen Verzicht auf Budgets.[165] Um diese zentrale Forderung zu realisieren, geht der Ansatz über der Einführung eines flexibleren Steuerungssystems hinaus und fordert auch eine radikale Veränderung der gängigen Organisationsstrukturen und -kulturen.[166] Die Notwendigkeit für die Abschaffung von Budgets und die Implementierung des *Beyond Budgeting* wird mit der Veränderung des Unternehmensumfelds und den daraus resultierenden - in Kap. 2.2 ausführlich erläuterten - Problemfeldern der klassischen Budgetierung begründet.

Mittlerweile gehören dem BBRT über 90 Organisationen an, zum Großteil Unternehmen, die durch aktive Mitarbeit und/oder durch passives Sponsoring am Vorantreiben des *Beyond Budgeting* Ansatzes mitgewirkt haben.[167]

Im nachfolgenden Abschnitt werden nun die zwölf Prinzipien des *Beyond Budgeting* möglichst ausführlich dargestellt.

5.2 Die zwölf Prinzipien des Beyond Budgeting

Wie bereits angesprochen lassen sich die zwölf Prinzipien grob in zwei je sechs Prinzipien umfassende Gruppen einteilen (siehe Abbildung 11):[168]

[165] vgl. hierzu und im Folgenden Horváth (2003a), S. 250; Treuz (2004), S. 345
[166] zu flexiblem Steuerungssystem siehe auch Abb. 5, Kap. 4.2.
[167] vgl. Leyk/Kopp (2004), S. 25; [BBRT.org]
[168] vgl. hierzu und im Folgenden Weber/Linder (2003), S. 20 ff.

- **Struktur und Kultur der Dezentralisation und Delegation** ***(Devolutionary framework)*** und
- **Anpassungsfähige Managementprozesse** ***(Adaptive management processes)***.

Im Weiteren soll nun auf jedes der zwölf Prinzipien in einem eigenen Kapitel eingegangen werden. Der den Prinzipien jeweils nachstehende Begriff in Klammern ist die englische Bezeichnung des Prinzips nach *Hope/Fraser*.[169] Je nach der gewählten Veröffentlichung der BBRT-Vertreter können diese in ihrer Bezeichnung, nicht aber in ihrem Inhalt, differieren.[170]

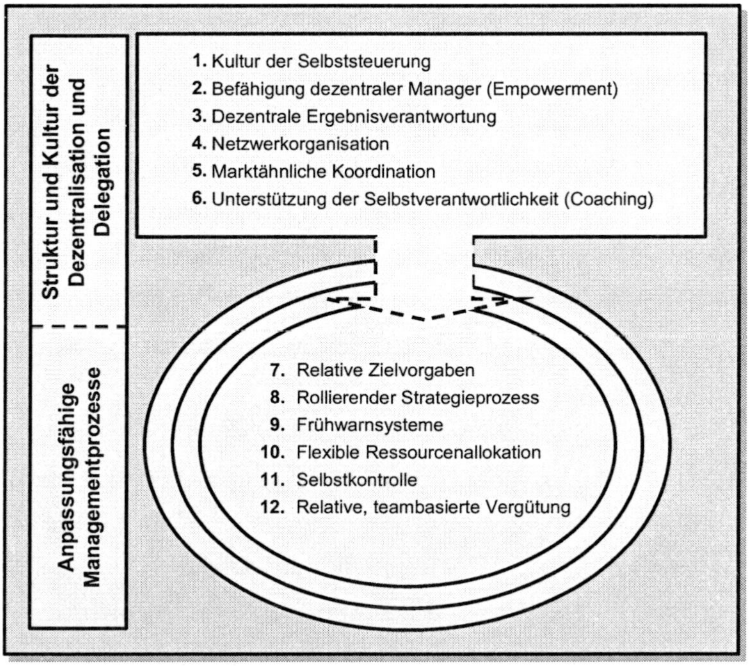

Abbildung 11: Die zwölf Prinzipien des Beyond Budgeting (Quelle: in Anlehnung an Mitter/Feldbauer-Durstmüller (2005), S. 14; Weber/Linder (2003), S. 21)

5.2.1. Struktur und Kultur der Dezentralisation und Delegation (Devolutionary framework)

1. *Kultur der Selbststeuerung (Governance):*

   Statt einer zentralen Steuerung durch Regeln und Vorschriften sollen gemeinsame Werte sowie Prinzipien und klare Ziele ein System von Verantwortung und Selbststeuerung schaffen.[171] Dadurch wird den dezentralen Entscheidungseinheiten (Profit Center) ermöglicht, schnell auf neue

---

[169] siehe Hope/Fraser (2001), S. 22 f.

[170] siehe hierzu u.a. Fraser/Hope (2001), S. 436 f.; Bunce/Fraser/Hope (2001), S. 62 f.

[171] vgl. Mitter/Feldbauer-Durstmüller (2005), S. 125

Entwicklungen im Unternehmensumfeld zu reagieren und notwendige Maßnahmen schnell und unbürokratisch entscheiden zu können.[172]
Damit propagiert das *Beyond Budgeting* eine stärkere Dezentralisierung als die klassische Budgetierung und ein Führungsverhalten, das durch flexible Werte und Grenzen anstelle wenig flexibler Mission Statements und Plänen (Budgets) geprägt ist.[173]

2. *Befähigung dezentraler Manager (Performance responsibility):*

Durch die Bildung möglichst vieler Profit Center i.S.v. Strategic Business Units (SBUs) und die Übertragung der benötigten Ressourcen soll jedem dezentralen Manager die Möglichkeit geboten werden, seine „eigene kleine Firma" zu führen.[174] Die Manager sollen genügend Handlungsfreiraum und Entscheidungsbefugnis für ihre Aktivität erhalten. Rigide Kontrollmechanismen und Begrenzungen ihrer Befugnisse sind demnach möglichst zu vermeiden.[175] Damit wird das unternehmerische Denken der dezentralen Manager angeregt und das Unternehmertum im Unternehmen gefördert.[176]

3. *Dezentrale Ergebnisverantwortung (Delegation):*

Die Verantwortung für die erzielten Ergebnisse relativ zu denen von Wettbewerbern oder anderen Profit Centern wird an die dezentralen Manager delegiert.[177] Damit sollen diese angehalten werden, wettbewerbsbezogene Ziele zu verfolgen und nicht funktionelle Zielgrößen zu realisieren. Dieses Prinzip ist eng mit den Prinzipien sieben (relative Zielvorgaben) und zwölf (relative Vergütung) gekoppelt.

4. *Netzwerkorganisation (Structure):*

Das Managementmodell des Industriezeitalters war durch eine multidivisionale, hierarchische - im weiteren Verlauf als „M-Form" bezeichnete - Struktur geprägt (siehe Abbildung 12).[178] Diese klassische Organisationsform zeichnet sich durch eine zentral gebündelte Entscheidungs- und Informationsgewalt der

---

[172] vgl. Weber/Linder (2005), S. 231
[173] vgl. Preißner (2003), S. 123
[174] vgl. hierzu und im Folgenden Weber/Linder (2003), S. 21
[175] vgl. Mitter/Feldbauer-Durstmüller (2005), S. 125
[176] vgl. Baum/Coenenberg/Günther (2004), S. 371
[177] vgl. hierzu und im Folgenden Pfläging (2003a), S. 92 f.
[178] vgl. hierzu und im Folgenden Leyk/Kopp (2004), S. 25 ff.

Unternehmensführung (Top-Management) aus. Auf der mittleren Leistungsebene steuern die Controller (Middle-Managers) die Ausführung der Entscheidungen, während auf der untersten Ebene die Entscheidungen von den operativen Führungskräften (Divisional Managers) lediglich umgesetzt werden. Die M-Form war nach *Hope/Fraser* das richtige Modell für das Industriezeitalter, da es den damals schnell expandierenden Unternehmen half, die steigende Komplexität zu reduzieren.[179] Im aktuellen Informationszeitalter wird der Engpass der Planung nicht mehr durch Produktionskapazitäten und Finanzressourcen verursacht, sondern durch Absatzmärkte und intellektuelles Kapital. Das Entwickeln und Umsetzen entsprechender Strategien gilt als kritischer Erfolgsfaktor. Unter diesen Voraussetzungen erscheint die M-Form für das heutige Umfeld zu bürokratisch, statisch und somit inflexibel. Anstelle dieses „command & control Systems" wird daher eine „Netzwerkstruktur" („N-Form") vorgeschlagen.[180] Das damit geschaffene Mehr an Flexibilität soll Unternehmen helfen, sich schneller an neue Umfeldsituationen anzupassen, um so im wettbewerbsintensiven Umfeld zu bestehen.

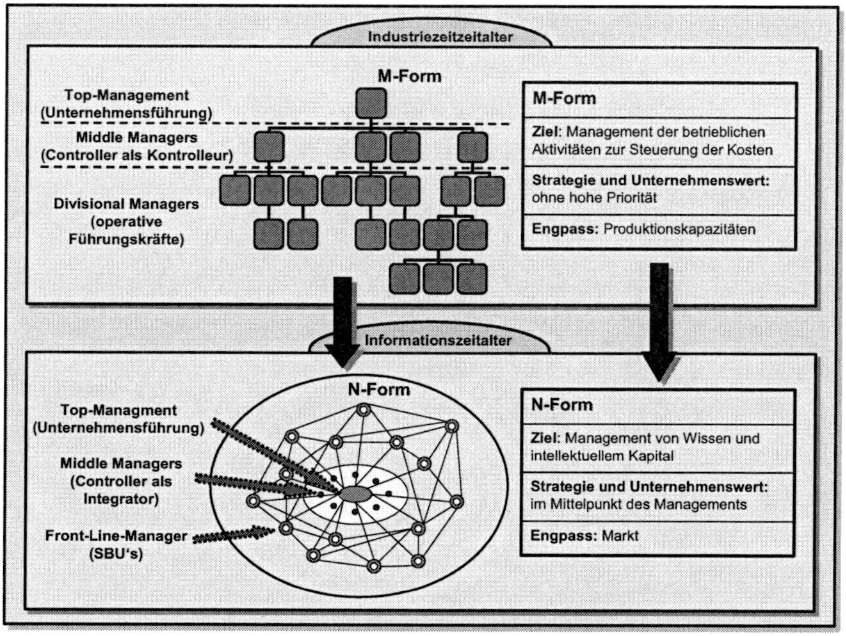

Abbildung 12: Entwicklung von der M-Form zur N-Form
(Quelle: Modifikation von Leyk/Kopp (2004), S. 26; Daum (2002), S.11)

[179] vgl. hierzu und im Folgenden Hope/Fraser (1997), S. 20 f.
[180] vgl. hierzu und im Folgenden Greiner (2004), S. 192 f.

Im Rahmen der N-Form (siehe Abbildung 12) verkörpern die operativen Führungskräfte (Front-Line-Manager) in den SBUs Unternehmer im Unternehmen.[181] *„Sie treffen die Entscheidungen, bestimmen die Strategien und setzen diese um, indem sie permanent die Chancen, die sich im Markt bieten, aufspüren und wahrnehmen.“*[182] Die Middle Manager bilden das horizontale Bindeglied zwischen Front-Line-Managern und Top-Management.[183] Dem Top-Management kommt hier die Aufgabe zu, der Organisation neue Impulse zu geben, indem es kritisch die bestehenden Zustände in Frage stellt. Unternehmertum, Verantwortung und Vertrauen zeichnen die N-Form aus.

5. *Marktähnliche Koordination (Co-ordination):*

   Anstelle einer Koordination durch Pläne (Budgets) wie bei der klassischen Budgetierung soll beim *Beyond Budgeting* eine marktähnliche Koordination treten.[184] Die einzelnen Profit Center treten sich dabei auf einem unternehmensinternen Markt als Kunden bzw. Dienstleister gegenüber. Ihr Preis/Leistungs-Verhältnis muss dabei den „Kunden“ zufrieden stellen und im Vergleich mit externen Anbietern bestehen.

6. *Unterstützung der Selbstverantwortlichkeit (Leadership):*

   Aufgabe der Unternehmensführung (Top-Management) beim *Beyond Budgeting* ist es, den dezentralen Managern die erforderlichen Werkzeuge (z.B. Informations- und Früherkennungssysteme) an die Hand zu geben und sie durch Schulungen (z.B. in der Anwendung von Management-Tools oder der Mitarbeiterführung) sowie Coaching in die Lage zu versetzen, so zu führen, dass die Potenziale des *Beyond Budgeting* Ansatzes vollständig zum Vorteil des gesamten Unternehmens genutzt werden können.[185]

---

[181] vgl. [Schäffer, U.], S. 2
[182] Leyk/Kopp (2004), S. 26
[183] vgl. hierzu und im Folgenden Hope/Fraser (1997), S. 21
[184] vgl. hierzu und im Folgenden Weber/Linder (2003), S. 22 f.
[185] vgl. Weber/Linder (2005), S. 232

5.2.2. Anpassungsfähige Managementprozesse (Adaptive management processes)

7. *Relative Zielvorgaben (Goalsetting):*[186]

Die Zielfestlegung und -vorgabe im Rahmen des *Beyond Budgeting* erfolgt zum einen auf der Basis von hochaggregierten Schlüsselkennzahlen, genannt Key Performance Indicators (KPI), welche die Vorgabe für die individuelle Strategieplanung der dezentralen Einheiten bilden.[187] Zum anderen werden mittel- bis langfristig (Zeitraum: etwa 3 - 5 Jahre) ausgelegte, anspruchsvolle Ziele gesetzt, bei denen es sich nicht um fixe (Budget-)Ziele, sondern um relative, auf einen internen oder externen Leistungsvergleich (Benchmarking) beruhende, Ziele handelt.[188]

Anstelle fixer Budgetvorgaben gilt somit die volle Aufmerksamkeit relativen, am internen und externen Markt orientierten oder über Benchmarks ermittelten (finanziellen wie nicht-finanziellen) Zielvorgaben und Steuerungsgrößen.[189] Dadurch werden eine ständige Anpassung der Ziele an die Umfeldentwicklungen und ein gleich bleibend herausfordernder Schwierigkeitsgrad gewährleistet wie auch die Gefahr zu großer „Betriebsblindheit" eingeschränkt.[190]

8. *Rollierender Strategieprozess (Strategy process):*

Die im Prinzip der „relativen Zielvorgaben" geforderte Anpassung der Ziele an die Umfeldentwicklungen setzt voraus, dass auch die Strategie diese berücksichtigt und falls nötig auch unterjährig – möglichst unter Beteiligung aller Wissensträger, nicht nur der Top-Manager - angepasst werden kann.[191]

Im Rahmen der herkömmlichen Planung kommt der strategische Planungsprozess, wie in Kap. 3.2 bereits gesagt, einem jährlichen, hierarchischen Ritual gleich.[192] Im Gegensatz dazu soll sich dieser beim *Beyond Budgeting* kontinuierlich (rollierend) vollziehen und dabei sämtliche Ebenen sowie Wissensträger des Unternehmens einbeziehen.[193]

---

[186] siehe hierzu auch Abb. 5, Kap. 4.2.
[187] vgl. Leyk/Kopp (2004), S. 33
[188] vgl. Bunce/Fraser/Hope (2002), S. 38 f.
[189] vgl. Weber/Linder/Spillecke (2003), S. 112; Rageth (2004), S. 23
[190] vgl. Preißner (2003), S. 123; Becker (2004), S. 83
[191] vgl. Greiner (2004), S. 193
[192] vgl. Bunce/Fraser/Hope (2003), S.70 f
[193] vgl. Weber/Linder/Spillecke (2003), S. 112

Als besonders wirksames Instrument wird in diesem Rahmen die Balanced Scorecard propagiert.[194] (siehe hierzu Kap. 5.3.3)

9. *Frühwarnsysteme (Anticipatory management):*

Ohne geeignete Früherkennungsindikatoren, die als Frühwarnsystem sowohl interne wie externe Entwicklungen vorhersehen können, erscheint ein adaptiver Strategieprozess wie in Prinzip acht gefordert nicht möglich.[195] Sie stellen die Aktualität des Inputs für die (kalenderjahrunabhängige) rollierende Prognose sicher, wodurch den dezentralen Managern im Sinne einer Reduktion der Unsicherheit überhaupt erst ermöglicht wird, ihr Handeln bzw. ihre Strategie an neue Umfeldbedingungen anzupassen.

10. *Flexible Ressourcenallokation (Resource management):*

Sich verändernde Ziele und Strategien führen in der Regel zu neuen, unvorhergesehenen Ressourcenbedarfen.[196] Werden diese Bedarfe nicht in angemessener Zeit zur Verfügung gestellt, kann auf sich verändernde Strategien nicht entsprechend reagiert werden.

Daher fordern *Hope/Fraser*: *„Make resources available to operations when required at a fair cost, don't allocate them from the centre."*[197]

Hierunter soll die Vorgabe von Kapitalkostensätzen bzw. Lohntarifsätzen ("cost") durch die Zentrale (Unternehmensführung/Top-Management) und letztlich die Entscheidungsverlagerung (i.S.v. autonomer Entscheidungsgewalt) bezüglich einzelnen Investitionen (i.S.v. Ressourcenbedarf) an die dezentralen Entscheidungseinheiten verstanden werden.[198]

11. *Selbstkontrolle (Measurement and control):*

Beyond Budgeting basiert auf Selbstkontrolle der dezentralen Entscheidungseinheiten anstelle der Fremdkontrolle durch übergeordnete Führungskräfte.[199]

Durch eine schnelle und offene Informationskultur im Unternehmen sollen sowohl Unternehmensführung als auch das dezentrale Management auf allen Ebenen und zu jedem Zeitpunkt über dieselben Informationen verfügen.[200]

---

[194] vgl. Fraser/Hope (2001), S. 441
[195] vgl. hierzu und im Folgenden Baum/Coenenberg/Günther (2004), S. 372; Greiner (2004), S. 193
[196] vgl. hierzu und im Folgenden Greiner (2004), S. 193
[197] Hope/Fraser (2001), S. 23
[198] vgl. Weber/Linder (2005), S. 233; Schäffer/Zyder (2003), S. 102
[199] vgl. Mitter/Feldbauer-Durstmüller (2005), S. 126
[200] vgl. hierzu und im Folgenden Hope/Fraser (2003), S. 24 f.

Bringt man die dadurch gewonnene Informationstransparenz mit dem Verzicht auf fixierte Zielwerte zu Gunsten relativer Zielvorgaben zusammen, gibt es für dezentrale Entscheidungseinheiten neben der Möglichkeit auch keine Notwendigkeit mehr Informationen zu verfälschen oder zu verzerren. Dieser Sachverhalt fördert die propagierte Vertrauenskultur im Unternehmen und begünstigt den Übergang von der Fremd- zur Selbstkontrolle.[201] Unternehmensführung und dezentrale Entscheidungseinheiten werden zwar gleichermaßen bei Ausnahmen oder Abweichungen im Rahmen der Leistungsmessung und -kontrolle informiert, das sonst übliche unaufgeforderte Eingreifen und Sanktionieren seitens der Unternehmensführung ist jedoch dabei weniger das Ziel. Vielmehr gewährleistet das Top-Management, sofern es von den dezentralen Entscheidungseinheiten darum gebeten wird, Hilfestellung zur Problemlösung.

12. *Relative, teambasierte Vergütung (Motivation and rewards):*
   Beim *Beyond Budgeting* stehen Leistungen des Gesamtunternehmens im Vordergrund.[202] Anreiz und Entlohnung orientieren sich daher auch an der Wettbewerbsfähigkeit des gesamten Unternehmens/Bereichs und nicht an zuvor verhandelten und festgelegten Zielen.[203] Hierdurch wird dem im Rahmen der klassischen Budgetierung kritisierten dysfunktionalen Verhalten entgegengewirkt und eine koordinierte Zusammenarbeit der einzelnen Unternehmenseinheiten zur Erreichung der Gesamtunternehmensziele gefördert.[204] Da die Vergütung auf Basis der Leistungsmessung von relativ am Wettbewerb adjustierten Zielen erfolgt, wird außerdem ein ganzjähriger Leistungsanreiz erzeugt.

Die zwölf Prinzipien des *Beyond Budgeting* stehen aber nicht für sich allein, sondern sind ein Set (notwendigerweise) abstrakt gehaltener Regeln, die sich eignen, Grundeigenschaften dieses alternativen Steuerungsmodells zu illustrieren.[205] Sie müssen daher kollektiv und nicht isoliert betrachtet werden. Prinzipien und Regeln sind für sich genommen aber noch nicht genug, sondern erfordern eine Materialisierung durch

---

[201] vgl. hierzu und im Folgenden Weber/Linder (2003), S. 24
[202] vgl. Hope/Fraser (2003), S. 19 f.
[203] vgl. Mitter/Feldbauer-Durstmüller (2005), S. 126
[204] vgl. hierzu und im Folgenden Leyk/Kopp (2004), S. 38 f.
[205] vgl. hierzu und im Folgenden Pfläging (2003c), S. 3

Instrumente und Prozesse. Im folgenden Abschnitt sollen die zur Umsetzung der Prinzipien relevanten Instrumente kurz dargestellt werden.

5.3. Instrumente des Beyond Budgeting

Zur Umsetzung der 12 Prinzipien werden keine völlig neuen Instrumente der Unternehmenssteuerung verwendet.[206] Vielmehr greifen die BBRT-Vertreter auf bereits etablierte Instrumente zurück. Diese Instrumente verstärken sich im Einsatz untereinander; vor allem aber soll durch die Nicht-Existenz von Budgets ihr ganzes Potenzial realisiert werden.[207] Im Folgenden werden die nach *Hope/Fraser* sechs wichtigsten Instrumente, die das *Beyond Budgeting* Konzept unterstützen sollen, kurz beschrieben und jeweils weiterführende Quellen genannt werden.

5.3.1. Value Based Management[208]

Value Based Management (VBM) oder der Economic Value Added (EVA®) sind Shareholder-Value Ansätze, synonym als Wertsteigerung bezeichnet, die aufgrund des zunehmenden Wettbewerbs um die Gunst der Investoren bereits länger ein wichtiges Thema in Wissenschaft und Praxis sind.[209] Während die Fremdkapitalkosten seit jeher bei der Unternehmenssteuerung Berücksichtigung fanden, erlangen nun auch die Eigenkapitalkosten (z.B. zur Akquirierung von potenziellen Investoren am Kapitalmarkt oder zur Versorgung dieser mit Informationen bezüglich Rendite- und Risikoaspekten) zunehmend Bedeutung. Das VBM ermöglicht dem Management, Entscheidungen auf Basis einer die Kapitalkosten übersteigenden Rendite zu treffen.[210] Wichtiger Bestandteil des VBM ist die Ermittlung der wichtigsten Werttreiber, die den Wert des Unternehmens beeinflussende Variablen darstellen und die sowohl aus der finanziellen wie auch aus der Kunden-, Prozess- oder Mitarbeiterperspektive (siehe Kap. 5.3.3. Balanced Scorecard) abgeleitet werden. Die Organisation der Werttreiber und die Koordination ihrer Steigerung sind entscheidend für die angestrebte Wertsteigerung des Unternehmens. Insbesondere im Kontext von Dezentralisierung, Netzwerkorganisation und der damit verbundenen Reduktion zentraler Steuerung auf ein Minimum, kommen der Ermittlung von Werttreibern und der Ableitung eines zentralen wertorientierten Kennzahlensystems eine stetig wachsende Bedeutung zu Teil.

---

[206] vgl. hierzu und im Folgenden Fraser/Hope (2001), S. 441
[207] vgl. Hope/Fraser (2003), S. 73; Pfläging (2005), S. 410; siehe hierzu auch Abb. 16, Kap. 8.1.
[208] siehe hierzu weiterführend u.a. Weber/Bramsemann/Heineke/Hirsch (2005), S. 175-216; Weber (2002), S. 440-481
[209] vgl. hierzu und im Folgenden Weber (2002), S. 440 f.
[210] vgl. hierzu und im Folgenden Hope/Fraser (2003), S. 158 f.

Greiner weist jedoch daraufhin, dass es bei der Vereinbarung von zusammengesetzten Zielgrößen wie z.B. dem Return-on-Investment (RoI) oder dem EVA®, durch unsachgemäße Anpassung einzelner Komponenten zu nicht gewünschten Auswirkungen kommen.[211] So kann bspw. der RoI erhöht werden, indem man auf aktuell weniger rentable Marktsegmente oder Kundengruppen verzichtet. In Anbetracht einer wachstumorientierten Unternehmensstrategie wäre dies hingegen nicht strategiekonform. Anhand dieses Beispiels soll verdeutlicht werden, dass vor dem Einsatz zusammengesetzter übergeordneter Zielwerte (gerade im Kontext von VBM) es immer zu klären gilt, ob es in Bezug auf einzelne Komponenten strategische Zielvorgaben gibt oder nicht und wie diese sich konkret darstellen.

5.3.2. Benchmarking[212]

Wie im Allgemeinen bekannt, leidet das Entscheidungsverhalten von Unternehmen nicht selten unter einer gewissen „Betriebsblindheit".[213] Um diesem Dilemma zu entgehen, gewinnt in der Unternehmenspraxis das - bereits Ende der 70er Jahre von der Firma Xerox initiierte - Konzept des Benchmarking zunehmend an Bedeutung. Unter Benchmarking wird der Prozess des Vergleichens und Messens der eigenen Produkte, Dienstleistungen und Prozesse mit den besten Wettbewerben oder anerkannten Marktführern verstanden.[214] Ziel dabei ist, aus dem Vergleich mit den Besten zu lernen und gegebenenfalls wirkungsvolle Methoden (Best-Practice) zu adaptieren. Dadurch soll die Leistungsfähigkeit des eigenen Unternehmens gesteigert werden. Grundsätzlich lassen sich drei Arten des Benchmarkings unterscheiden:

- **Internes Benchmarking** (z.B. Vergleich einzelner Filialen, Standorte oder Profit Center)
- **Wettbewerbsorientiertes Benchmarking** (Vergleich mit brancheninternen Wettbewerbern)
- **Funktionales Benchmarking** (Vergleich „Best in Class"-Unternehmen die branchenunabhängig z.B. einen Prozess hervorragend beherrschen)

Beim *Beyond Budgeting* ersetzt das Benchmarking die Erfolgsindikatoren, die in der klassischen Budgetierung durch Budgetgrößen bzw. deren Erreichung repräsentiert wurden.[215] Anstatt erzielte Ist-Ergebnisse mit den eigens geplanten Budgetwerten zu vergleichen, sollen Ergebnissen anderer, vergleichbarer Organisationen herangezogen

[211] vgl. hierzu und im Folgenden Greiner (2005), S. 502
[212] siehe hierzu weiterführend u.a. Weber/Wertz (2005), S. 405-440; Link/Weiser (2006), S. 149-156
[213] vgl. hierzu und im Folgenden Link/Weiser (2006), S. 149
[214] vgl. hierzu und im Folgenden Kamiske (2000), S. 135
[215] vgl. hierzu und im Folgenden Hope/Fraser (2003), S. 160 f.; Greiner (2005), S. 502

werden. Der Vergleich mit Wettbewerbern (extern) oder zwischen einzelnen Profit Centern (intern) wirkt motivationsfördernd und soll den langfristigen Erfolg des Unternehmens begünstigen.

5.3.3. Balanced Scorecard[216]

Die Balanced Scorecard (BSC) wurde Anfang der 90er Jahre von *Robert Kaplan* und *David Norton* konzipiert und entwickelt.[217] Es handelt sich hierbei um einen Performance Measurement Ansatz, bei dem die Leistungsmessung und die Leistungsbeurteilung des Verhaltens und des Erfolges kombiniert werden.[218] Dabei werden eine Reihe von verhaltens- wie erfolgesbezogenen Kennzahlen (monetärer wie nicht-monetärer Art) aus der Strategie abgeleitet und in einer Scorecard zusammengestellt. Traditionell setzt sich Balanced Scorecard aus vier ausgewogenen und miteinander verknüpften Perspektiven zusammen: die finanzwirtschaftliche Perspektive, die Kundenperspektive, die Lern- und Entwicklungsperspektive und die interne Geschäftsprozessperspektive (siehe Abbildung 13).[219]

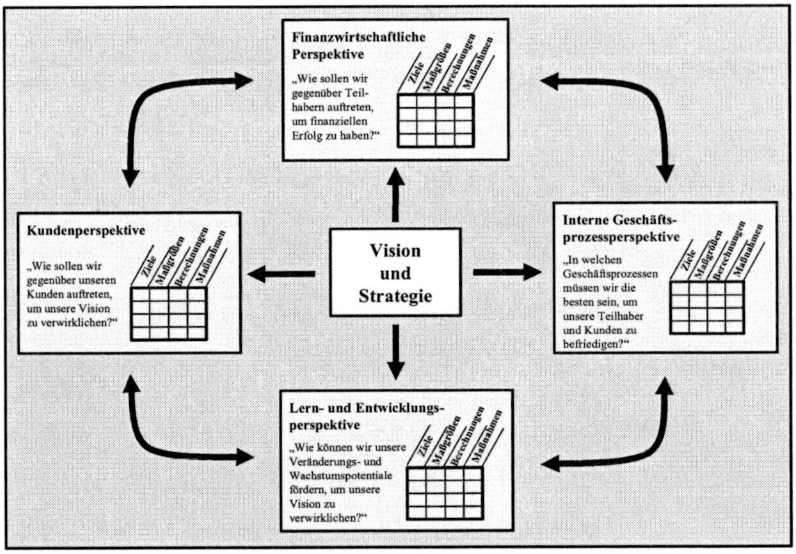

Abbildung 13: Die Perspektiven der Balanced Scorecard
(Quelle: Kaplan/Norton (1997), S. 8)

Für jede dieser Perspektiven werden entsprechende Kennzahlen abgeleitet, die ausgewogen (balanced) über den Ausprägungsgrad kurz- und langfristiger, quantitativer

---

216 siehe hierzu weiterführend Kaplan/Norton (1997); Weber (2004), S. 254-267
217 vgl. Oehler (2002), S. 85
218 vgl. [HMD]; Gillmann (2002), S. 124 ff.
219 vgl. Kaplan/Norton (1997), S. 8; Grandjot (2006), S. 74

und qualitativer, monetärer und nicht-monetärer Früh- und Spätindikatoren informieren.[220] Die BSC kann vom Top-Management über die unterschiedlichen Entscheidungseinheiten bis hinunter auf die Ebene des einzelnen Mitarbeiters definiert werden. Dadurch kann sie den Mitarbeitern immer aktuelle Informationen über den Erfolg ihrer Aktivität liefern.

Zusammenfassend handelt es sich bei der BSC um ein ausgewogenes System (balanced), das einen klaren Bezug zur Messung (Scorecard) besitzt und eine spezielle Art der Konkretisierung, Darstellung und Verfolgung von Strategien verkörpert.[221] Sie dient als Implementierungs- und Kommunikationshilfe dazu, die Umsetzungswahrscheinlichkeit beabsichtigter Strategien signifikant zu erhöhen.

Im Rahmen des *Beyond Budgeting* soll sie den strategischen Rahmen für dezentrale Entscheidungen bieten und dafür wichtige Informationen über vorlaufende KPIs bereitstellen.[222] Durch diese Informationen wird den Entscheidungseinheiten aufgezeigt, ob die angestrebten strategischen Ziele erreicht werden oder ob ein eventueller Handlungsbedarf besteht.

5.3.4. Activity Based Management (ABM)[223]

Das Activity Based Management (Prozesskostenmanagement/Prozesskostenrechnung) ist ein wichtiges Instrument des operativen Managements.[224] Der kontinuierlich steigende Gemeinkostenanteil sog. indirekter Bereiche (z.B. Beschaffung, Logistik, Instandhaltung, Vertrieb) an den Gesamtkosten einer Unternehmung führte Mitte der 80er Jahre in Praxis wie Wissenschaft zu der Idee, neben den Produktionsgemeinkosten auch die Gemeinkosten der indirekten Bereiche direkt den Produkten oder Leistungen zuzurechnen, und zwar als sog. Prozesskosten abhängig der für ihre Herstellung und Vermarktung erforderlichen respektive in Anspruch genommenen Prozessen.[225] Für eine solche Bezugsgrößenkalkulation wurde die Methode der Prozesskostenrechnung entwickelt. Ihre Zielsetzungen sind im Allgemeinen die Transparenzschaffung, die Effizienzsteigerung und eine Verbesserung der Kalkulationsgrundlage.[226]

Die Ausgangsbasis der Prozesskostenrechnung bildet eine eingehende Prozessanalyse des Bezugsobjekts, bei der mehrere Teilprozesse definiert und zu Hauptprozessen

---

[220] vgl. hierzu und im Folgenden Kaplan/Norton (1997), S. 9 ff.
[221] vgl. hierzu und im Folgenden Greiner (2004), S. 226 f.
[222] vgl. hierzu und im Folgenden Hope/Fraser (2003), S. 156 ff.
[223] siehe hierzu weiterführend u.a. Horváth (2003a), S. 551-562
[224] vgl. Leyk/Kopp (2004), S. 46
[225] vgl. hierzu und im Folgenden Hahn/Hungenberg (2001), S. 574; Hirsch/Wall/Attorps (2001), S. 73
[226] vgl. Preißner (2005), S. 119 f.

zusammengefasst werden.[227] Weiter müssen die relevanten Kostentreiber, die die Beziehung zwischen Kosten, Hauptprozessen und Bezugsobjekt herstellen und damit als Basis zur Verrechnung der Gemeinkosten geeignet sind, identifiziert werden. Während die klassische Vollkostenrechnung in Einzel- und Gemeinkosten unterscheidet und die Teilkostenrechnung zusätzlich nach fixen und variablen Kosten differenziert, wird im Rahmen der Prozesskostenrechnung von leistungsmengen-induzierten (-abhängigen) und leistungsmengen-neutralen (-unabhängigen) Kosten gesprochen.[228] Activity Based Management erlaubt eine permanente Planung, Steuerung und Überwachung der Gemeinkosten.[229] Es vermittelt dem Management ein besseres Verständnis darüber, wie Unternehmensaktivität und Prozesse mit Kunden und Produkten verknüpft sind.[230] Die Steuerung von Prozessen bzw. der Aktivität, die Suche nach nicht-wertschöpfenden Kosten wie auch die Festlegung zukünftiger Ressourcenanforderungen werden so erleichtert.

5.3.5. Customer Relationship Management (CRM)[231]

Customer Relationship Management (CRM) kann nach *Link* als *„informationstechnologisch gestützte Herstellung, Aufrechterhaltung und Nutzung von Kundenbeziehungen“*[232] definiert werden. Ziel dabei sind die Schaffung und Steigerung von Kundenzufriedenheit, -loyalität und –rentabilität – sprich Aufbau und Entwicklung erfolgreicher Kundenbeziehungen.[233] Nach *Link/Weiser* lässt sich das CRM grundlegend in drei aufeinander aufbauende Ebenen untergliedern (siehe Abbildung 14).[234] Die erste Ebene bezeichnet lediglich die bereits erläuterte Zielsetzung eines Customer Relationship Managements. Auf der darunter liegenden Ebene ist dann unternehmens- und kunden-, bzw. kundengruppenspezifisch herauszufinden und festzulegen, mittels welcher strategischen Wettbewerbsvorteile die Kundenbindung erfolgen soll.[235] Auf der letzten Ebene gilt es die Informationssysteme zu finden und aufzubauen, die diese Wettbewerbsvorteile realisieren bzw. zumindest unterstützen können.

---

[227] vgl. hierzu und im Folgenden Reichmann (2001), S. 168 ff.; Link/Weiser (2006), S. 194
[228] vgl. Preißner (2005), S. 120
[229] vgl. Horváth (2003a), S. 551 ff.
[230] vgl. hierzu und im Folgenden Hope/Fraser (2003), S. 164 f.
[231] siehe hierzu weiterführend Link (2001); Helmke (2002), S. 34-40
[232] Link (2001), S.3
[233] vgl. hierzu und im Folgenden Hope/Fraser (2003), S. 166 f.; vgl. Grandjot (2006), S. 82
[234] vgl. hierzu und im Folgenden Link/Weiser (2006), S. 86 ff.; Grandjot (2006), S. 82 ff.
[235] zu „strategischen Wettbewerbsvorteilen“ siehe Link (2004), S. 40; siehe auch Abb. 20, Kap. 8.5

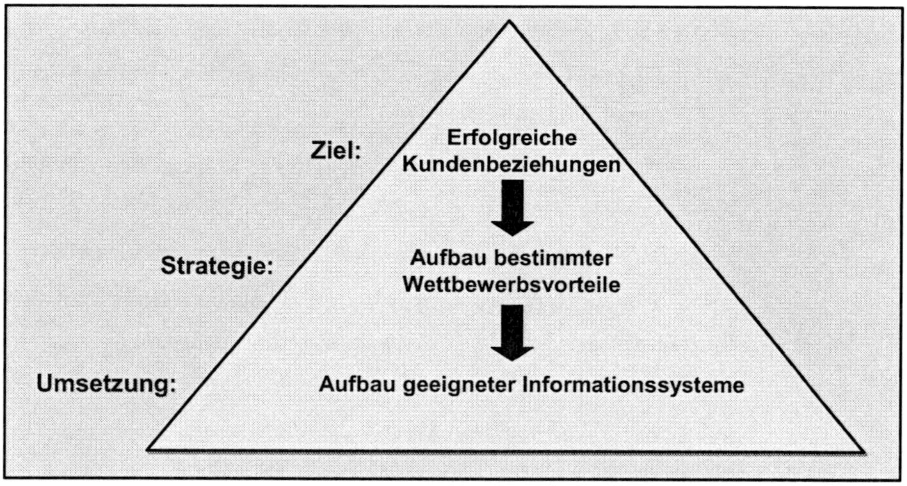

Abbildung 14: Das 3-Ebenen Modell des CRM
(Quelle: Modifikation von Link/Tiedtke (2001), S. 3)

Im Rahmen des *Beyond Budgetings* gewährleisten sie, dass der Kunde und nicht, wie in der klassischen Budgetierung, das Produkt als kritischer Erfolgsfaktor aufgefasst wird.

5.3.6. Management-Informationssysteme (MIS)[236] *und Rolling Forecasts*[237]

Management-Informationssysteme (MIS), gelegentlich auch synonym als Executive Information Systems (EIS) oder Führungsinformationssysteme (FIS) bezeichnet, sollen das Management mit den für die Entscheidungsfindung relevanten Informationen versorgen.[238] Werden diese Systeme mit entsprechenden Methoden, wie beispielsweise der Abweichungsanalyse oder der Szenario-Analyse ausgestattet, leisten sie einen wichtigen Schritt zur Selbstkontrolle des dezentralen Managements.

Bereits seit Mitte der 80er Jahre werden verschiedene Software-Lösungen dazu angeboten.[239]

Rolling Forecasts ignorieren im Gegensatz zu jahresorientierten Forecasts die Jahresgrenze und umfassen einen stets gleich bleibenden Zeitraum (i.d.R. 5-8 Monate).[240] Auf diese Weise können Entscheidungen auf einer besseren Informationsbasis gefällt werden, als dies im Rahmen des jährlichen Budgetzyklus möglich ist.[241]

[236] siehe hierzu weiterführend u.a. Link (2004), S.184-187; Wall (2003)
[237] siehe hierzu weiterführend u.a. Brenner/Leyk (2004); Treyer (2005)
[238] vgl. hierzu und im Folgenden Horváth (2003), S. 713
[239] vgl. Link (2004), S. 184
[240] vgl. Leyk/Kopp (2004), S. 46
[241] vgl. Hahn/Hungenberg (2001), S. 1086 f.

Durch den integrierten Einsatz von MIS und Rolling Forecasts werden die verschiedenen Funktionsbereiche bzw. Unternehmensebenen miteinander verknüpft, und das Management in die Lage versetzt,

- den Ressourcenaufwand in Beziehung zum letztlich erzielten Nutzen quer über das gesamte Unternehmen hinweg zu setzen und
- auf der Basis von kontinuierlichen Forecasts eine bessere, auf Marktinformationen basierende, Antizipation von Ereignissen zu leisten.[242]

Im Rahmen des *Beyond Budgetings* sollen die Konzeption und Implementierung von MIS und Forecast-Systemen nicht rein aus informationstechnologischer Sicht geschehen.[243] Die konkrete Ausgestaltung muss aus der Strategie abgeleitet werden, um diese möglichst optimal unterstützen zu können. Darüber hinaus müssen MIS auch flexibel genug konzipiert sein, da ansonsten eine Anpassung der Informationssysteme an die Entwicklung des Geschäfts nicht schnell genug vollzogen werden kann.

5.3.7. Zusammenfassung

Dass der Einsatz dieser Instrumente in der betrieblichen Praxis keine Innovation darstellt, lässt sich gut aus den Ergebnissen einer Unternehmensumfrage im Rahmen einer Diplomarbeit an der Fachhochschule Kiel ersehen (siehe Abbildung 15).[244]

Diese kam zu dem Ergebnis, dass die angeführten Management-Instrumente wie Benchmarking, BSC u.a. bereits seit geraumer Zeit praktisch angewendet werden.

Platz	Instrument	Wertung
1	*Benchmarking*	*28%*
	Rolling Forecast	*28%*
3	*Balanced Scorecard*	*16%*
	Customer Relationship Management	*16%*
5	*Shareholder Value*	*8%*
6	*Activity Based Management*	*4%*

Abbildung 15: Rangfolge der Instrumente
(Quelle: Stuhr/Ewert (2005), S. 169)

242 vgl. Hope/Fraser (2003), S. 156 ff.; Treyer (2005), S. 304 ff.
243 vgl. hierzu und im Folgenden Leyk/Kopp (2004), S. 45
244 vgl. hierzu und im Folgenden Stuhr/Ewert (2005), S. 168 ff.

Somit stellt ihr kombinierter Einsatz im Rahmen des *Beyond Budgeting* keine echte Innovation, sondern vielmehr eine Evolution von bereits Existierendem dar.
Neben diesen sechs Instrumenten können aber noch weitere wichtige Management-Tools, wie z.B. Vergütungssysteme oder das Prozess-Reengineering, zum Einsatz kommen.[245]

5.4. Fallbeispiel Svenska Handelsbanken

Ein Fallbeispiel eines Unternehmens, das ein Planungs- und Steuerungssystem im Sinne des *Beyond Budgeting* Ansatzes installiert hat, ist Svenska Handelsbanken.[246] Seit 1970 gibt es bei Svenska Handelsbanken, einer schwedischen Bank mit Niederlassungen in ganz Skandinavien und in Großbritannien, keine Budgets, absolute Ziele oder fixe Pläne mehr. Trotzdem gehört die Bank zu den erfolgreichsten Europas. Hinsichtlich wesentlicher Leistungs- und Erfolgsgrößen, wie z.B. Return on Equity, Cost-to-Income Ratio oder Kundenzufriedenheit, liegt sie seit 30 Jahren konsequent vor ihren skandinavischen Konkurrenten.[247]
Das von Dr. Jan Wallander in den 70er Jahren initiierte Planungs- und Steuerungssystem gilt als Paradebeispiel, wenn es um die Praktizierbarkeit des *Beyond Budgeting* Ansatzes geht.[248] Im Folgenden soll aufgezeigt werden, wie die praktische Umsetzung der 12 Prinzipien bei der Svenska Handelsbanken realisiert werden:[249]

- **Dezentrale Organisation**, d.h. alle Organisationseinheiten, konkret alle 560 Filialen, die regionalen Zentralbüros und die Serviceabteilungen der Konzernzentrale, sind als Profit-Center definiert und für ihre Steuerung eigenverantwortlich *(siehe Prinzipien 1-3, Kap. 5.2.1.).*
- **Klar definierte Werte und Vorgaben** in Form einer gelebten Unternehmenskultur *(siehe Prinzip 1, Kap. 5.2.1.).*
- **Relative, anspruchsvolle Zielvorgaben**, die auf das Erreichen eines zentralen Primärziels abzielen. Bei Svenska Handelsbanken ist dies, eine Eigenkapitalrendite zu erzielen, die über dem Durchschnitt der relevanten Vergleichsgruppe anderer Banken liegt *(siehe Prinzipien 7 + 12, Kap. 5.2.2.).*

---

245 vgl. Pfläging (2003b), S. 196
246 vgl. hierzu und im Folgenden Daum (2002), S. 18 f.; Daum/Francke (2005), S. 127
247 vgl. Grevelius (2001), S. 445
248 seihe hierzu u.a. Hope/Fraser (2001), S. 25; Hope/Fraser (2003), S. 75; Schaudwet (2002), S. 67; Irle (2004), S. 63 ff.
249 vgl. hierzu und im Folgenden Francke (2003), S. 91 ff.; Daum (2005), S. 53 ff.; Hope/Fraser (2003), S. 75;

- **Relative, teambasierte Vergütung** durch die Leistungsmessung und -kontrolle mittels interner (monatliches Filial-Ranking zum internen Vergleich) und externer Benchmarks (für die Serviceabteilungen) *(siehe Prinzip 12, Kap. 5.2.2.).*
- **Interner Markt für interne Dienstleistungen**: Serviceabteilungen müssen ihre Dienstleistungen zu marktfähigen Preisen anbieten *(siehe Prinzip 5, Kap. 5.2.1.).*
- **Flexible Ressourcenallokation,** da Marketingaktivität, Produktportfolio etc. von den einzelnen Filialen frei gestaltet werden können und ihnen die dazu benötigten Ressourcen in einem (relativ) flexiblen Rahmen zur Verfügung stehen *(siehe Prinzip 10, Kap. 5.2.2.).*
- **Eingreifen der Unternehmensführung** (in Form des Anbietens von Hilfestellung) nur dann, wenn bestimmte Schlüsselkennzahlen der Profit Center aus einer festgelegten Bandbreite laufen *(siehe Prinzipien 6 & 11, Kap. 5.2.1. bzw. 5.2.2.).*
- **Einsatz von Rolling Forecasts und Forecast-Systemen** *(siehe Prinzip 9, Kap. 5.2.2).*
- **Dezentrale Profit Center Organisation:** 560 Filialen < regionale Zentralen < Konzernzentrale (Serviceabteilungen wie Human Ressources oder Controlling) *(siehe Prinzip 4, Kap. 5.2.1)*

Bis auf den rollierenden Strategieprozess werden im Fallbeispiel der Svenska Handelsbanken praktisch alle Prinzipien des *Beyond Budgeting* direkt angesprochen und zumindest ansatzweise erfüllt. Nicht ohne Grund gelten daher die Svenska Handelsbanken als der Prototyp in Hinblick auf eine Unternehmenssteuerung ohne Budgets im klassischen Sinne.

5.5. Zusammenfassung und Reflexion

Nachfolgend soll analog dem *Better Budgeting* Ansatz eine kritische Reflexion und zusammenfassende Bewertung des *Beyond Budgetings* erfolgen.

5.5.1 Neuigkeitsgrad

Ähnlich wie beim *Better Budgeting* Ansatz handelt es sich bei den Einzelprinzipien und Instrumenten des *Beyond Budgeting* Konzepts um keine echte Innovation.[250] Lediglich ihr gemeinschaftlicher Einsatz als Alternative zur Budgetierung ist neu. Gerade (die sechs Instrumente), wie z.B. die BSC oder das VBM, galten in ihrer bisherigen

---

[250] vgl. hierzu und im Folgenden Pack/Dörr (2004), S. 4 ff.

Anwendung als eigenständige Konzepte zur Unternehmenssteuerung und nicht als Teilinstrument eines ganzheitlichen Planungs- und Steuerungssystems. Daher ist in diesem Zusammenhang eher von einer Evolution zu sprechen, auch wenn die angestrebten Veränderungen der Unternehmensorganisation und –kultur durchaus einer Revolution gleichkommen.[251]

Selbst ein scheinbar innovativer Punkt wie die Entkopplung der Prognose- und Motivationsfunktion ist nicht neu und wurde bereits in den 70er Jahren u.a. von *Hopwood* diskutiert.[252]

5.5.2. Empirische Fundierung

Um die empirische Fundierung des *Beyond Budgeting* Konzepts steht es im Gegensatz zum *Better Budgeting* Ansatz nicht besonders gut.[253] Es existieren zwar einige vom BBRT initiierte Studien, die einen positiven Zusammenhang zwischen dem Einsatz des Konzepts und dem Unternehmenserfolg auszuweisen versuchen, jedoch bestehen erhebliche Bedenken bezüglich ihrer Validität. Auch die Anführung von „Best-Practice-Unternehmen", wie Svenska Handelsbanken oder Borealis, als Beleg eines positiven Zusammenhangs kann aus wissenschaftlicher Sicht nicht als empirischer Nachweis akzeptiert werden, denn der Erfolg eines Unternehmens kann selten auf einen einzelnen Grund zurückgeführt werden. *„Unter Umständen ist ein Unternehmen nicht wegen, sondern trotz eines bestimmten Konzepts erfolgreich!"*[254] Zur Fundierung von Hypothesen oder generalisierbaren Aussagen können Einzelbeispiele nicht herangezogen werden.[255]

Weiter sei in diesem Kontext darauf hingewiesen, dass das von *Hope/Fraser* angeführte Unternehmen Borealis mittlerweile zu einem eigenentwickelten Konzept des *Better Budgeting* und zu einer Wiederabschaffung des *Beyond Budgeting* Konzepts übergegangen ist.[256]

Lediglich für den Wechsel von einer Unternehmenskultur der Überwachung hin zu einer Vertrauenskultur konnte - im Rahmen einer Studie von *Schäffer/Weber/Willauer*, bei der 298 Unternehmen im Jahr 2003 untersucht wurden - eine signifikant positive Auswirkung auf den Unternehmenserfolg empirisch nachgewiesen werden.[257]

---

[251] vgl. Pack/Dörr (2004), S. 5 f.
[252] vgl. Mitter/Feldbauer-Durstmüller (2005), S. 127
[253] vgl. hierzu und im Folgenden Weber/Linder (2003), S. 30 f.
[254] Weber/Linder (2003), S. 30
[255] vgl. Matzler/Rier/Renzl/Hinterhuber (2004), S. 82 f.
[256] vgl. Jöchle (2003), S. 443 ff.
[257] vgl. Schäffer/Weber/Willauer (2003), S. 42 ff.

Somit steht für die Mehrzahl der im *Beyond Budgeting* gemachten Aussagen noch eine solide empirische Fundierung aus.

5.5.3. Potenzielle Problembereiche in der Praxis

Hinsichtlich der praktischen Umsetzung des Konzepts herrschen vielfältige Bedenken.[258] So setzen vor allem die marktähnliche Koordination, dezentrale Investitionsentscheidungen oder die flexible Ressourcenallokation einen zu hohen vorherigen Planungsaufwand voraus. Außerdem kann ihr langfristiges Funktionieren, ähnlich wie bei Budgets, nur solange garantiert werden, wie sich keine der zugrunde gelegten Prämissen ändert. Jede Prämissenänderung führt wie bei Budgets zu einem Abnehmen der Planungsgüte und zieht gegebenenfalls eine aufwändige Anpassung nach sich. Dies kann auch zu internen Koordinations- und Motivationsproblemen führen.

5.5.4. Konzeptionelle Eignung (Prognose, Koordination, Motivation)

Das *Beyond Budgeting* ist aufgrund

- seiner spezifischen Koordinationsform, der Selbstabstimmung durch interne Märkte anstatt durch Budgets (Pläne),
- des hohen Anteils an analytischer Neuplanung, unter Einbeziehung von Expertenurteilen, Nutzschwellenanalysen oder Simulationen zur Erfüllung der Prognosefunktion und
- der Gestaltung eines an relativen, externen Zielen orientierten und flexiblen Steuerungskonzepts, das Gruppenleistung anstelle von Individualleistung setzt und so die intrinsische Motivation der Mitarbeiter fördert

am Besten von allen vorgesellten Ansätzen bzw. Konzepten zur Steuerung in hoch dynamischen Umfeldern geeignet.[259] Jedoch stößt das stark fokussierte und neuplanungsintensive *Beyond Budgeting* bei steigender Komplexität an seine Grenzen.[260] Gleichzeitig hohe Komplexität und hohe Dynamik kann auch dieses Konzept nicht managen.[261]

Zwar gibt es Möglichkeiten, durch die Begrenzung von Größe und Diversität des Unternehmens der Komplexität zu entgegnen (z.B. durch Standardisierung, Konzentration auf Kernkompetenzen und/oder Outsourcing), diese würden aber den

---

[258] vgl. hierzu und im Folgenden Weber/Linder (2003), S. 31; Tschandl/Schentler (2006), S. 94
[259] vgl. hierzu und im Folgenden Weber/Linder (2005), S. 240 ff.
[260] vgl. hierzu und im Folgenden Weber (2004), S. 377
[261] siehe hierzu auch Abb. 17, Kap. 8.2.

ohnehin schon enormen Implementierungsaufwand eines *Beyond Budgeting* Konzepts noch weiter erhöhen.[262]

5.5.5. Implementierbarkeit (personal, sachlich)[263]

Hinsichtlich der Implementierung lässt sich festhalten, dass das *Beyond Budgeting* eine große Herausforderung für Unternehmung und Mitarbeiter darstellt.[264] Selbst die BBRT-Vertreter weisen darauf hin.[265]

Hohe personale Anforderungen stellt das Konzept bezüglich der Fähigkeiten (i.S.v. Können), Präferenzen (i.S.v. Wollen) sowie dem jeweiligen Selbst- und Weltbild aller beteiligten bzw. betroffenen Mitarbeiter.[266] Sie müssen u.a. über ein hohes Verhandlungsgeschick (Marktkoordination), einen flexiblen Umgang mit Unsicherheiten (muddling through) und die Fähigkeit zum Selbstmanagement verfügen. Damit wird deutlich, dass Management-Fähigkeiten im Rahmen des *Beyond Budgeting* nicht mehr nur vom oberen Management sondern praktisch von jedem Mitarbeiter verlangt werden.

Auch die Gestaltung eines die intrinsische Motivation fördernden Führungskonzepts erscheint schwierig.[267] Denn Mitarbeiter, die gängige extrinsische Aspekte der Motivation, wie „gesichertes Einkommen", „geordnete Verhältnisse" oder „hierarchische Stellung" bzw. „Respekt" kennen und bevorzugen, werden durch intrinsische Aspekte wie Selbstmanagement, Unternehmertum im Unternehmen oder der Übertragung von Freiheit zur Entfaltung und Gestaltung sicher überfordert und somit kaum zu motivieren sein.

Ebenso verlangt das *Beyond Budgeting* einen Verzicht auf das durch detaillierte und vollständige Budgets geschaffene Sicherheitsgefühl wie auch eine Abkehr von der internen Fokussierung.[268] Der Umgang mit Unsicherheiten, verkürzten Entscheidungsprozessen und den daraus resultierenden schnellen, intuitiven Entscheidungen stellen das Weltbild des *Beyond Budgeting* dar.[269] Aspekte, wie z.B. eine verstärkte Marktorientierung anstelle der internen Orientierung der klassischen Budgetierung, sind wiederum die Herausforderungen an das Selbstbild aller Beteiligten.

---

262 vgl. Weber/Linder (2003), S. 39 f.
263 siehe hierzu auch Abb. 18, Kap. 8.3.
264 vgl. Leyk/Kopp (2004), S. 48
265 vgl. Fraser/Hope (2001), S. 441 f.
266 vgl. hierzu und im Folgenden Weber/Linder (2004b), S. 67
267 vgl. hierzu und im Folgenden Weber/Linder (2005), S. 261 f.
268 vgl. Gleich/Leyk (2003), S. 493
269 vgl. hierzu und im Folgenden Weber/Linder (2004b), S. 69

Neben den personalen Anforderungen existieren auch sachliche Herausforderungen.[270] Neben der geforderten Verbesserung der informationstechnologischen Planungsunterstützung in Form von MIS und Planungssoftware stellt auch der kombinierte Einsatz von ursprünglich selbstständigen Managementkonzepten als integriertes Instrumentenbündel einen enormen Implementierungsaufwand dar. Gerade von klein- und mittelständischen Unternehmen (KMU) ist dies nur schwer zu meistern.[271] Die Tatsache, dass selbst in den angeführten „Best-Practice" Beispielen (Svenska Handelsbanken, Borealis, IKEA, Volvo usw.) längst nicht alle Prinzipien eins zu eins umgesetzt wurden, deutet auf die schwierige Umsetzbarkeit des Konzepts als Ganzes hin.[272]

5.5.6. Zusammenfassende Bewertung

Für eine erste zusammenfassende Bewertung ergibt sich für das Konzept des *Beyond Budgeting* folgendes:

- *Neuigkeitsgrad:* Evolution/Revolution statt Innovation
- *Empirische Fundierung* steht aus wissenschaftlicher Perspektive noch aus
- *Konzeptionelle Eignung:* eingeschränkte Eignung (hohe Dynamik, niedrige Komplexität)
- *Potenzielle Problembereiche in der Praxis:* gegeben
- *Implementierung:* Hoher Aufwand und zu erwartender Implementierungswiderstand; schwierige bis nicht vorhandene Umsetzbarkeit des ganzheitlichen Konzepts (speziell für KMU).

Weiter wird kritisiert, dass:

- das Konzept zwar Gestaltungsprinzipien, aber keine konkreten Anhaltspunkte zur Umsetzung liefert (z.B. welche Kennzahlen zur Steuerung Anwendung finden sollten).[273]
- das Konzept die Kriterien einer typischen Managementmode erfüllt, was es zwar nicht grundsätzlich disqualifiziert, aber zumindest aus wissenschaftlicher Sicht (bei einer noch ausstehenden validen empirischen Fundierung) in Frage stellt.[274]
- das Konzept stark von regionalen kulturellen Unterschieden beeinflusst werde.[275] Indiz dafür sei die Tatsache, dass bislang vornehmlich Unternehmen

---

[270] vgl. hierzu und im Folgenden Schäffer/Zyder (2003), S. 105 ff.
[271] vgl. Treuz (2004), S. 345
[272] vgl. Daum (2003), S. 89
[273] vgl. [Rieg, R.], S. 7
[274] vgl. Becker (2004), S. 84; Schäffer/Zyder (2003), S. 103 f.; siehe hierzu auch Abb. 21, Kap. 8.6.
[275] vgl. hierzu und im Folgenden [Lingnau, V.], S. 9 ff.

aus skandinavischen Ländern das Konzept zumindest zu einem gewissen Grad umgesetzt haben und ohne Budgets steuern. Gestützt wird diese These durch eine Analyse der kulturellen Anforderungen des *Beyond Budgeting*, wie Vertrauenskultur, Langfristorientierung usw., im Vergleich mit den Kulturprofilen der Länder Schweden, Deutschland, Japan und USA. Schweden konnte dabei die kulturellen Anforderungen als einziges Land in einem vorgegebenen Rahmen erfüllen.[276] Da die Unternehmenskultur zwar nicht vollständig mit der Kultur eines Nationalstaates verglichen werden kann, beide aber auch nicht losgelöst voneinander existieren, kann wohl allein in Skandinavien ein das Beyond Budgeting begünstigendes Umfeld ausgemacht werden. Eine Implementierung des Konzepts in anderen (Kultur-) Regionen erscheint unter diesem Aspekt fragwürdig.

- grundsätzlich bei der Verwendung von internen wie externen Benchmarks die Gefahr besteht, „Schlendrian mit Schlendrian" zu vergleichen und somit dysfunktionale Wirkungen zu erzielen.[277]

Das *Beyond Budgeting* sieht eine radikale Umgestaltung der Unternehmens- und Managementpolitik vor.[278] Diese Umgestaltung ist mit hohen Investitionen in Planungssystemen und einem hohen Zeit- und Ressourcenbedarf verbunden. Ebenso können neben finanziellen auch personelle Implementierungshürden auftreten. Ein begleitendes, professionelles Change-Management wird daher empfohlen.[279]

Die Grundideen des *Beyond Budgeting* und ihre propagierte Anwendung werden in der Literatur nicht angezweifelt, lediglich die praktische Umsetzung im Sinne eines universell optimalen Konzepts gilt - gerade für KMU und in durch eine hohe Komplexität geprägten Umfeldern - als utopisch.[280]

---

[276] vgl. hierzu und im Folgenden [Lingnau, V.], S. 16 ff.
[277] vgl. Becker (2004), S. 84; Denk (2004), S. 76
[278] vgl. hierzu und im Folgenden Mitter/Feldbauer-Durstmüller (2005), S. 128; Sure/Thiel (2005), S. 14
[279] vgl. Daum (2002), S. 21
[280] vgl. Weber/Linder/Hirsch (2004), S. 72

6. Fazit und Ausblick

Die gegenwärtig stetig zunehmende Dynamik des Unternehmensumfeldes und der steigende Wettbewerbsdruck lassen das bewährte Planungs- und Steuerungskonzept der Budgetierung ins Kreuzfeuer der Kritik geraten.[281] Einst als Instrument zur Bewältigung steigender Komplexität in Zeiten niedriger Dynamik entwickelt, erfüllt die Budgetierung in dieser Umfeldsituation weiterhin ihre Funktion.[282] Bei zunehmender Dynamik stößt sie jedoch an ihre Grenzen. Die daraus resultierenden Probleme für Unternehmen lassen immer mehr Kritik an diesem zentralen Instrument der operativen Planung aufkommen. Die seit geraumer Zeit als Alternativen zur klassischen Budgetierung propagierten Ansätze des *Better Budgeting* und des *Beyond Budgeting* wurden im Rahmen dieser Arbeit ausführlich vorgestellt und auf ihre Grenzen und Möglichkeiten (im Sinne einer kritischen Reflexion) hin analysiert.

Während das *Beyond Budgeting* eine radikale, praktisch einer Revolution gleichkommenden Umgestaltung der Unternehmenskultur und gängigen Managementpraxis propagiert und die völlige Abschaffung von Budgets forciert, versucht der *Better Budgeting* Ansatz, die Budgetierung hinsichtlich Effizienz und Effektivität durch eine Verbesserung funktionaler und institutionaler Aspekte zu verbessern.[283] Keiner der beiden Ansätze stellt aber eine Universallösung dar.[284]

Dem *Better Budgeting* Ansatz fehlt immer noch das konzeptionelle Grundgerüst.[285] Bislang besteht er lediglich aus einer Ansammlung unterschiedlicher Verbesserungsaspekte und möglichen Elementen eines später zu konstruierenden Konzepts. Die konzeptionelle Grundlage fehlt. Zwar sind einzelne Konzeptionen wie das Advanced Budgeting bekannt, jedoch steht bei ihnen noch eine empirische Fundierung im wissenschaftlichen Sinn aus. Aber vielleicht verspricht der Ansatz gerade deshalb eine leichtere Implementierbarkeit als der *Beyond Budgeting* Ansatz.

Das *Beyond Budgeting* Konzept kann zwar als solches bezeichnet werden und liefert eine Reihe guter Ansätze, doch gibt es in Bezug auf die empirische Fundierung des Konzepts aus wissenschaftlicher Sicht erhebliche Bedenken.[286] Gerade in Anbetracht der propagierten „Revolution“ der Managementkultur sollte diese eigentlich vor einer Implementierung im Unternehmen gegeben sein. Gilt diese doch bezüglich des *Beyond Budgeting* als finanziell wie zeitlich in hohem Maße ressourcenbeanspruchend. Weiter

---

[281] vgl. Schröder/Wall (2003), S. 169 f.
[282] vgl. hierzu und im Folgenden Weber (2004), S. 367; Weber/Linder (2003), S.59; Denk (2004), S. 81
[283] vgl. Mitter/Feldbauer-Durstmüller (2005), S. 129
[284] vgl. Pack/Dörr (2004), S. 8 f.
[285] vgl. hierzu und im Folgenden Mitter/Feldbauer-Durstmüller (2005), S. 123
[286] vgl. hierzu und im Folgenden Mitter/Feldbauer-Durstmüller (2005), S. 128

sind bei der Einführung eines *Beyond Budgeting* Konzepts menschliche Investitionswiderständen seitens der betroffenen Mitarbeiter zu erwarten – eine Revolution geht in der Regel selten „leise" von statten.
Doch was bleibt nun als Ergebnis für die zukünftige Budgetdiskussion festzuhalten? Sicherlich, dass beide Ansätze aus wissenschaftlicher Sicht noch einige Mängel aufweisen. Aber auch, dass die Tiefe und Dauer der bisherigen Diskussion zeigt, dass in der klassischen Budgetierung Problemfelder sichtbar sind und erkannt werden; andererseits aber auch ein reges Interesse besteht, diesen durch Verbesserung (better) oder Abschaffung (beyond) zu begegnen, was auch die aktuelle Studie „Planning on the move" (2005) der Unternehmensberatung „The Hackett Group" zeigt.[287] Während in der Vorgängerstudie (2003) die Verbesserung der Budgetierung bei den befragten Unternehmen und deren CFO's zu 69% zur zukünftigen Aufgabenstellung gehörte, so haben in 2005 bereits 79% der Unternehmen ihr Budgetierungssystem reformiert – wenn auch gleich das bei lediglich jedem fünften eine vollständige Neuerung bedeutete.
Es gilt also, die bislang erzielten Erkenntnisse, gerade von wissenschaftlicher Seite, weiter voran zu treiben, mit dem Ziel ein Steuerungssystem zu entwickeln, das Unternehmen ermöglicht, in der gegenwärtigen Wettbewerbssituation zu bestehen.[288] Ob dieses System letztlich *Beyond Budgeting*, *Better Budgeting* oder eventuell ganz anders bezeichnet wird, muss jedoch vorerst noch unbeantwortet bleiben. Die Entwicklung eines „One-size-fits-all"-Konzept, insbesondere in Anbetracht des beschriebenen Unternehmensumfeldes, kann aus Sicht der Wissenschaft wie auch aus Praxissicht aber keine optimale Strategie sein.[289]

[287] vgl. hierzu und im Folgenden Treuz (2004), S. 346; Sure/Thiel (2005), S. 14; Horváth (2005), S. 29
[288] vgl. Schäffer/Zyder (2003), S. 108 f.; Tschandl/Schentler (2006), S. 96
[289] vgl. Schäffer/Künkele (2006), S. 11

7. Literaturverzeichnis

7.1. Bücher und Zeitschriftenartikel

Argyris, C. (1952): The Impact of Budgets on People, New York 1952.

Amrein, S./ Widmer, M./ Witmer, D. E. (2003): „Better Budgeting" – Planungsansatz der UBS, in: Horváth, P./ Gleich, R. (Hrsg.): Neugestaltung der Unternehmensplanung – Innovative Konzepte und erfolgreiche Praxislösungen, Stuttgart 2003, S. 623-648.

Baum, H.-G./ Coenenberg A. G./ Günther, T. (2004): Strategisches Controlling, 3. Aufl., Stuttgart 2004.

Becker, A. (2004): Beyond Organization? – Anmerkungen zum Konzept des Beyond Budgeting, in: ZfO, 2/2004, S. 82-87.

Bisgaard, S./ De Mast, J. (2006): After Six Sigma – What's Next?, in: Quality Progress, January 2006, S. 30-36.

Brandes, D. (2004): Alles unter Kontrolle? – Die Wiederentdeckung einer Führungsmethode, Frankfurt/New York 2004.

Brenner, M./ Leyk, J. (2004): Rollierender Forecast und rollierende Planung, in: Horváth & Partners (Hrsg.): Beyond Budgeting umsetzen – Erfolgreich planen mit Advanced Budgeting, Stuttgart 2004, S. 1-14.

Brimson, J. A./ Antos, J. J. (2003): Activity-Based Budgeting, in: Lalli, W. R. (Hrsg.): Handbook of Budgeting, 5. Aufl., New Jersey 2003, S. 31-1 – 31-20.

Brühl, R. (2004): Controlling – Grundlagen des Erfolgscontrollings, München 2004.

Buchner, H. (2003): Welche Planung passt zu ihrem Unternehmen?, in: Horváth, P./ Gleich, R. (Hrsg.): Neugestaltung der Unternehmensplanung – Innovative Konzepte und erfolgreiche Praxislösungen, Stuttgart 2003, S. 103-119.

Bunce, P./ Fraser, R./ Hope, J. (2001): Beyond Budgeting – The Barrier Breakers, in: Horváth, P. (Hrsg.): Strategien erfolgreich umsetzen, Stuttgart 2001, S. 55-76.

Bunce, P./ Fraser, R./ Hope, J. (2002): Beyond Budgeting – Breaking free from the annual performance trap, in: Horváth, P. (Hrsg.): Performance Controlling – Strategie, Leistung und Anreizsystem effektiv verbinden, Stuttgart 2002, S. 33-49.

Bunce, P./ Fraser, R./ Hope, J. (2003): Beyond Budgeting, in: Horváth, P./ Gleich, R. (Hrsg.): Neugestaltung der Unternehmensplanung – Innovative Konzepte und erfolgreiche Praxislösungen, Stuttgart 2003, S. 69-86.

Chalmers, A. (1999): Grenzen der Wissenschaft, in: Bergemann, N./ Altstötter-Gleich, C. (Hrsg.): Berlin u. a. 1999.

Chmielewicz, K. (1994): Forschungskonzeptionen der Wirtschaftswissenschaft, 3. Auflage, Stuttgart 1994.

Daum, J. H. (2002): Beyond Budgeting: Ein Management- und Controlling-Modell für nachhaltigen Unternehmenserfolg, in: Der Controlling Berater, 7/2002, S. 397-430.

Daum, J. H. (2003): Von der Budgetsteuerung zum Beyond Budgeting: Motivation, Fallbeispiele, der Pioniere und Zukunftsperspektiven, in: ZfCM Sonderheft, 1/2003, S. 77-90.

Daum, J. H. (2005): Beyond Budgeting: Ein Management- und Controlling-Modell für nachhaltigen Unternehmenserfolg, in: Daum, J. H. (Hrsg.): Beyond Budgeting – Impulse zur grundlegenden Neugestaltung der Unternehmensführung und -steuerung, München 2005, S. 31-61.

Daum, J. H./ Francke, L. (2005): Ohne Budgets Managen bei Svenska Handelsbanken – Ein Interview mit Lennart Francke, CFO Svenska Handelsbanken, in: Daum, J. H. (Hrsg.): Beyond Budgeting – Impulse zur grundlegenden Neugestaltung der Unternehmensführung und -steuerung, München 2005, S. 127-138.

Dambrowski, J. (1986): Budgetierungssysteme in der deutschen Unternehmenspraxis, Darmstadt 1986.

Denk, R. (2004): Beyond Bureaucratics in Budgeting, in: ZfO, 2/2004, S. 74-81.

Fink, C. (2003): Prozessorientierte Unternehmensplanung, Wiesbaden 2003.

Fischer, M./ Fischer, A. (2001): Neue Konzepte für das Controlling der Zukunft, in: Kostenrechnungspraxis, 1/2001, S. 29-35.

Francke, L. (2003): Managen ohne Budgets bei Svenska Handelsbanken, in: ZfCM Sonderheft, 1/2003, S. 91-93.

Fraser, R./ Hope, J. (2001): Beyond Budgeting, in: Controlling, 8-9/2001, S. 427-442.

Freimann, J. (1994): Das Theorie-Praxis-Dilemma der Betriebswirtschaftslehre, in: Fischer-Winkelmann, W. F. (Hrsg.): Das Theorie-Praxis-Problem der Betriebswirtschaftslehre – Tagung der Kommission Wissenschaftstheorie, Wiesbaden 1994, S. 7-24.

Fülbier, U. (2004): Wissenschaftstheorie und Betriebswirtschaftslehre, in: WiSt, 5/2004, S. 266-271.

Gaiser, B. (2004): Strategische und operative Steuerung verbinden, in: Werte schaffen – Werte managen – Erfolgreiche Konzepte wertorientierter Unternehmenssteuerung, Bonn 2004, S. 35-53.

Gaiser, B./ Gleich, R. (2004): Budgetierung: Die Evolution ist machbar, in: FAZ, 14.06.2004, S. 26.

Gaiser, B./ Greiner, O. (2004): Anbindung der operativen Planung an die strategische Planung mit der Balanced Scorecard, in: Horváth & Partners (Hrsg.): Beyond Budgeting umsetzen – Erfolgreich planen mit Advanced Budgeting, Stuttgart 2004, S. 124-146.

Gillmann, J.-P. (2002): Performance Measurement in Professional Firms – Gestaltungsmodell am Beispiel von Wirtschaftsprüfungs- und Beratungsunternehmen, Wiesbaden 2002.

Gleich, R./ Kopp, J. (2001): Ansätze zur Neugestaltung der Unternehmensplanung – Methodische Innovationen und empirische Erkenntnisse, in: Controlling, 8-9/2001, S. 429-436.

Gleich, R./ Kopp, J./ Leyk, J. (2003a): Advanced Budgeting: better and beyond, in: Horváth, P./ Gleich, R. (Hrsg.): Neugestaltung der Unternehmensplanung – Innovative Konzepte und erfolgreiche Praxislösungen, Stuttgart 2003, S. 315-329.

Gleich, R./ Kopp, J./ Leyk, J. (2003b): Ansätze zur Neugestaltung der Unternehmensplanung, in: Finanz Betrieb, 7-8/2003, S. 461-465.

Gleich, R./ Kopp, J./ Leyk, J./ Roß, A. (2003): „Advanced Budgeting" – Ansatz zur Neugestaltung der Unternehmensplanung in EVU, in: Energiewirtschaftliche Tagesfragen, 11/2003, S. 732-735.

Gleich, R./ Leyk, J. (2003): Beyond Budgeting – bessere Performance durch Abkehr von festen Budgets oder durch adäquate Berücksichtigung der Umfeldturbulenz?, in: Controller Magazin, 5/2003, S. 491-494.

Goossens, T. (1999): Grundsätze der Budgetierung, Erlangen/Nürnberg 1999.

Grandjot, T. (2006): Mobile Scorecard – Entwicklung einer Balanced Scorecard für das mobile Customer Relationship Management (mCRM), München/Mering 2006.

Grevelius, S. (2001): Thirty successful years without budget – Experiences from a financial company, in: Controlling, 8-9/2001, S. 443-446.

Greiner, O. (2004): Strategiegerechte Budgetierung, München 2004.

Greiner, O. (2005): Neugestaltung der Ziel-, Kontroll- und Anreizsysteme – ein pragmatischer Einstieg in Beyond Budgeting-Ansätze, in: Controlling, 8-9/2005, S. 499-506.

Hahn, D./ Hungenberg, H. (2001): PuK, Controllingkonzepte: Planung und Kontrolle, Planungs- und Kontrollsysteme, Planungs- und Kontrollrechnung,, 6. Aufl., Wiesbaden 2001.

Hartung, W. (2002): Leistungsmessung und Leistungssteuerung des Controllings, in: Controlling, 8-9/2002, S. 501-506.

Haeseler, H. R./ Hörmann, F. (2005): Operatives Controlling im Umbruch – „Beyond Budgeting“ als radikales Gegenkonzept zur konventionelle budgetorientierten Unternehmenssteuerung, in: Seicht,G. (Hrsg.): Jahrbuch für Controlling und Rechnungswesen 2005, Wien 2005, S. 141-158.

Heckert, J. B./ Wilson, J. D. (1955): Business Budgeting and Control, 2. Aufl., New York 1955.

Heidenberger, K./ Muthsam, H. L./ Stummer, C. (2000): Budgetierungsansätze für Forschung und Entwicklung im Überblick, in: ZfB, 9/2000, S. 1005-1029.

Helmke, S. (2002): Eine simulationsgestützte Methode für Budgetentscheidungen im Kundenbindungsmanagement, Paderborn 2002.

Hirsch, B./ Wall, F./ Attorps, J. (2001): Controlling-Schwerpunkte prozessorientierter Unternehmen, in: krp-Kostenrechnungspraxis, 2/2001, S. 73-79.

Hope, J./Fraser, R. (1997): Beyond Budgeting… - Breaking through the barrier to "the third wave", in: Management Accounting, 12/1997, S. 20-23.

Hope, J./Fraser, R. (1999): Beyond Budgeting – building a new management model for the information age, in: Management Accounting, 1/1999, S. 16-21.

Hope, J./Fraser, R. (2001): Figures of hate, in: Financial Management, 2/2001, S. 22-25.

Hope, J./ Fraser, R. (2003a): Beyond Budgeting – Wie sich Manager aus der jährlichen Budgetierungsfalle befreien, Stuttgart 2003.

Hope, J./ Fraser, R. (2003b): Who Needs Budgets?, in: Harvard Business Review, 2/2003, S. 98-105.

Hope, J./ Fraser, R. (2003c): The Time has come to abandon the budget, in: ZfCM Sonderheft, 1/2003, S. 71-76.

Horváth, P. (2003a): Controlling, 9. Aufl., München 2003.

Horváth, P. (2003b): Neugestaltung der Planung – Notwendigkeiten und Lösungsansätze, in: Horváth, P./ Gleich, R. (Hrsg.): Neugestaltung der Unternehmensplanung – Innovative Konzepte und erfolgreiche Praxislösungen, Stuttgart 2003, S. 3-17.

Horváth, P. (2003c): Hat die Budgetierung noch Zukunft?, in: ZfCM Sonderheft, 1/2003, S. 4-8.

Horváth, P. (2005): Hat die Budgetierung noch Zukunft?, in: Daum, J. H. (Hrsg.): Beyond Budgeting – Impulse zur grundlegenden Neugestaltung der Unternehmensführung und -steuerung, München 2005, S. 21-30.

Horváth, P./ Dambrowski, J./ Jung, H./ Posselt, S. (1985): Die Budgetierung im Planungs- und Kontrollsystem der Unternehmung – Erste Ergebnisse einer empirischen Untersuchung, in: Die Betriebswirtschaft, 2/1985, S. 138-155.

Horváth, P./ Möller, K. (2004): Budgetierung und Organisationsstruktur – Welche Budgetierung passt zu welcher Organisation?, in: ZfO, 2/2004, S. 68-73.

Irle, M. (2004): No Budget, in: Brand Eins, 08/2004, S. 63-69.

Jöchle, P. (2003): Bessere Budgetierung oder „einmal Beyond Budgeting und zurück" – Spielregeln aus der Erfahrung eines früheren Anwenders, in: Controller Magazin, 5/2003, S. 443-446.

Kamiske, G. (2000): Benchmarking, in: Kostenrechnungspraxis, 3/2000, S. 135.

Kaplan, R. S./ Norton, D. P. (1997): Balanced Scorecard – Strategien erfolgreich umsetzen, Stuttgart 1997.

Klingebiel, N. (2001): Impulsgeber des Performance Measurement, in: Klingebiel, N. (Hrsg.): Performance Measurement & Balanced Scorecard, München 2001, S. 3-24.

Kopp., J./ Leyk, J. (2004): Effizient und effektive planen, in: Horváth & Partners (Hrsg.): Beyond Budgeting umsetzen – Erfolgreich planen mit Advanced Budgeting, Stuttgart 2004, S. 1-14.

Koptik, J./ Oehler, K. (2003): Konsequenzen von Shared Service Center und Outsourcing auf den Planungsprozess und die IT-Unterstützung der Planung, in: Horváth, P./ Gleich, R. (Hrsg.): Neugestaltung der Unternehmensplanung – Innovative Konzepte und erfolgreiche Praxislösungen, Stuttgart 2003, S. 429-450.

Küpper, H.-U. (2001): Controlling – Konzeption, Aufgaben und Instrumente, 3. Aufl., Stuttgart 2001.

Kuß, A./ Tomczak, T. (2004): Marketingplanung – Einführung in die marktorientierte Unternehmens- und Geschäftsfeldplanung, 4. Aufl., Wiesbaden 2004.

Leahy, T. (2001): The Top 10 Traps of Budgeting, in: Business Finance, 11/2001, S. 20-24.

Leyk, J./ Kopp, J. (2004): Innovative Planungs- und Budgetierungskonzepte und ihre Bewertung, in: Horváth & Partners (Hrsg.): Beyond Budgeting umsetzen – Erfolgreich planen mit Advanced Budgeting, Stuttgart 2004, S. 15-60.

Leyk, J./ Müller, M. (2006): Advanced Budgeting in der Praxis – Aktuelle empirische Erkenntnisse aus dem Horváth & Partners CFO-Panel, in: Controller Magazin, 04/2006, S. 378-382.

Link, J. (2001): Grundlagen und Perspektiven des Customer Relationship Management, in: Link, J. (Hrsg.): Customer Relationship Management – Erfolgreiche Kundenbeziehungen durch integrierte Informationssysteme, Berlin/Heidelberg/New York 2001, S. 1-34.

Link, J. (2004): Führungssysteme, 2.Aufl., München 2004.

Link, J./ Gerth, N./ Voßbeck, E. (2000): Marketing-Controlling, München 2000.

Link, J./ Tiedtke, D. (2001): Von der Corporate Site zum Databased Online Marketing – Grundlagen und Entwicklungsperspektiven, in: Link, J./ Tiedtke, D. (Hrsg.): Erfolgreiche Praxisbeispiele im Online-Marketing, 2. Aufl., Berlin/Heidelberg/ New York 2001, S. 1-25.

Link, J./ Weiser, C. (2006): Marketing-Controlling, 2.Aufl., München 2006.

Link, C./ Orbán, C. (2002): Unternehmensplanung – Wertschöpfung oder Pflichtübung, in: Kostenrechnungspraxis, 1/2002, S. 11-17.

Lücke, W. (1988): Scratch-Line-Budgetierung, in: Rudolph, B. (Hrsg.): Bankpolitik, finanzielle Unternehmensführung und die Theorie der Finanzmärkte: Festschrift für H.-J- Krümmel zur Vollendung des 60. Lebensjahres, Berlin 1988, S. 263-308.

Matzler, K./ Rier, M./ Renzl, B./ Hinterhuber, H. H. (2004): Die wichtigsten Managementkonzepte und –methoden: Die Sicht der Unternehmensberater, in: ZfCM, 2/2004, S. 82-85.

Meyer, M. (2004): Wirtschaftsethik im Controlling oder: Wie halten es Controller mit der Wahrheit?, in: ZfCM, 5/2004, S. 292-294.

Mitter, C./ Feldbauer-Durstmüller, B. (2005): Neuere Budgetierungsansätze – Lösungskonzepte für die Planungsprobleme in österreichischen und deutschen Unternehmen?, in: Seicht,G. (Hrsg.): Jahrbuch für Controlling und Rechnungswesen 2005, Wien 2005, S. 113-139.

Oehler, K. (1998): Unternehmensweite Planung und Budgetierung, in: Kostenrechnungspraxis, 5/1998, S. 296-302.

Oehler, K. (2002): Balanced Scorecard und Budgetierung – (wie) passt das zusammen?, in: Controlling, 2/2002, S. 85-92.

Ossadnik, W. (2003): Controlling, 3. Aufl., München 2003.

Ossadnik, W./ Barklage, D. (2002): Budgetierungsverfahren, in: Küpper, U./ Wagenhofer, A. (Hrsg.): Handwörterbuch Unternehmensrechnung und Controlling, 4. Aufl., Stuttgart 2002, Sp. 241-250.

Pack, M./ Dörr, U. (2004): Beyond Budget? – Wie die Unternehmensplanung ihren Stellenwert sichern muss, in: Controller Magazin, 1/2004, S. 4-9.

Pfaff, D. (2002): Budgetierung, in: Küpper, U./ Wagenhofer, A. (Hrsg.): Handwörterbuch Unternehmensrechnung und Controlling, 4. Aufl., Stuttgart 2002, Sp. 231-241.

Pfläging, N. (2003a): Beyond Budgeting, Better Budgeting – Ohne feste Budgets zielorientiert führen und erfolgreich steuern, München 2003.

Pfläging, N. (2003b): Fundamente des Beyond Budgeting – Controller als Akteure bei der Realisierung eines integrierten Modells zur Unternehmenssteuerung, in: Controller Magazin, 2/2003, S. 188-197.

Pfläging, N. (2003c): Besseres Management - ohne Budgets, in: Accounting, 11/2003, S. 1-3.

Pfläging, N. (2005): Steuerungsmodell Beyond Budgeting – eine Neudefinition, in: Controller Magazin, 5/2005, S. 410-416.

Picot, A./ Reichwald, R./ Wigand, R. T. (2003): Die grenzenlose Unternehmung – Information, Organisation und Management, 5. Aufl., Wiesbaden 2003.

Preißner, A. (2003): Budgetierung und Planung, München 2003.

Preißner, A. (2005): Praxiswissen Controlling, 4. Aufl., München 2005.

Pyhrr, P. A. (2003): Zero-Based Budgeting, in: Lalli, W. R. (Hrsg.): Handbook of Budgeting, 5.Aufl., New Jersey 2003, S. 28-1 – 28-19.

Rachlin, R. (2001): Praxishandbuch Budgetplanung – Grundlagen und Imstrumente für erfolgreiches Finanzmanagement, Frankfurt/New York 2001.

Raffée, H. (1974): Grundprobleme der Betriebswirtschaftslehre, Göttingen 1974.

Raffée, H. (1984): Gegenstand, Methoden und Konzepte der Betriebswirtschaftslehre, in: Bitz, M. / Dellmann, K. / Domsch, M. / Egner, H. (Hrsg.): Vahlens Kompendium der Betriebswirtschaftslehre, München 1984, S. 1-46.

Rageth, L. (2004): Vorzeichenwechsel fürs neue Jahr, in: Marketing & Kommunikation, 10/2004, S. 22-23.

Rapp, M. J. (2002): Risikoorientierte Budgetierung im Projektgeschäft, in: ZfB, 1/2002, S. 7-18.

Reichmann, T. (2001): Controlling mit Kennzahlen und Managementberichten – Grundlagen einer systemgestützten Controlling-Konzeption, München 2001.

Reiß, M./ Bernecker, T. (2006): Conjoint Controlling: Organisationsgerechte Controllingsysteme zwischen Better Budgeting und komplex-hybrider Steuerung, in: Zeitschrift für Planung & Unternehmenssteuerung, 1/2006, S. 5-26.

Rieg, R. (2004): Strategische Steuerung und Budgetierung – Notwendigkeit oder Widerspruch?, in: Controlling, 8-9/2004, S. 473-479.

Rottke, O. (2000): Budgetierung – Last oder Lust?, in: Kostenrechnungspraxis, 5/2000, S. 265-277.

Rottke, O. (2001): Budgetierung als effizientes Instrument zur erfolgsorientierten Steuerung der Konzernteilbereiche bei den Österreichischen Bundesbahnen (ÖBB), in: Controlling, 7/2001, S. 365-378.

Russel, D./ Patel, A./ Wilkinson-Riddel, G. (2002): Cost Accounting – An Essential Guide, Harlow 2002.

Sammer, J. (1997): Seven Ways To Build Better Budgets, in: Controller Magazine, 9/1997, S. 26-30.

Schäffer, U. (2001): Die Bedeutung der Kontrolle für Controller, in: Kostenrechnungspraxis, 4/2004, S. 207-211.

Schäffer, U. (2003): Budgetierung im Umbruch?, in: ZfCM Sonderheft, 1/2003, S. 1.

Schäffer, U./ Künkele, J. (2006): Budgetkontrolle in deutschen Unternehmen – Eine Bestandsaufnahme, in: Controlling, 1/2006, S. 5-12.

Schäffer, U./ Weber, J./ Willauer, B. (2003): Mit Loyalität und Vertrauen besser planen – Ergebnisse einer empirischen Erhebung, in: ZfCM, 1/2003, S. 42-51.

Schäffer, U./ Zyder, M. (2003): Beyond Budgeting – Ein neuer Managementhype?, in: ZfCM Sonderheft, 1/2003, S. 101-110.

Schäffer, U./ Zyder, M. (2005): Beyond Budgeting – eine kritische Würdigung, in: Daum, J. H. (Hrsg.): Beyond Budgeting – Impulse zur grundlegenden Neugestaltung der Unternehmensführung und -steuerung, München 2005, S. 245-268.

Schaudwet, C. (2002): Ende der Planwirtschaft, in: Wirtschaftswoche, Nr. 34 vom 15.08.2002, S. 65-67.

Schischkoff, G. (1982): Philosophisches Wörterbuch, 21. Aufl., Stuttgart 1982.

Schomann, M. (2001): Wissensorientiertes Performance Measurement, Wiesbaden 2001.

Schröder, R./ Wall, F. (2003): Controlling im Spannungsfeld interner Prozesse und Kundenbedürfnissen – Ergebnisse einer empirischen Erhebung, in: Weber, J./ Hirsch, B. (Hrsg.): Zur Zukunft der Controllingforschung – Empirie, Schnittstellen und Umsetzung in der Lehre, Wiesbaden 2003, S. 169-183.

Steel, R./Albright, C. (2004): Taktische Spielchen, in: Wirtschaftswoche, Nr. 38 vom 09.09.2004, S. 176-180.

Steinmann, H./ Scherer, G. (2000): Wissenschaftstheorie, in: Corsten, H. (Hrsg.): Lexikon der Betriebswirtschaftslehre, 4. Aufl., München 2000, S. 1056-1063.

Stuhr, K.-P./ Ewert, M. (2005): Beyond Budgeting in der Praxis – eine Unternehmens-umfrage, in: Controller Magazin, 2/2005, S. 168-170.

Sure, M./ Thiel, R. (2005): Budgetierung einmal anders, in: io – new management, 11/2005, S. 10-14.

Tigges, B./ Schmid, M. (2004); Unternehmensplanung – Erfolgstreiber oder Bremsklotz?, in: Controlling, 12/2004, S. 689-694.

Treuz, W. (2004): Budget und Budgeting: Das klassische Planungs- und Steuerungssystem der KMU, in: Controller Magazin, 4/2004, S. 340-346.

Treyer, O. A. G. (2005): Fortschritte im Controlling durch Business Forecasting, in: ZfCM, 4/2005, S. 303-307.

Troßmann, E./ Baumeister, A./ Werkmeister, S. (2003): Management-Fallstudien im Controlling, München 2003.

Tschandl, M./ Schentler, P. (2006): Missverständnis Beyond Budgeting – Warum die Diskussion um Beyond Budgeting im falschen Kontext geführt werden, in: Controller Magazin, 01/2006, S. 91-96.

Wall, F. (2003): IT-Unterstützung der Unternehmensplanung im Spannungsumfeld von technologischen Möglichkeiten und verhaltensbedingten Grenzen?, in: Horváth, P./ Gleich, R. (Hrsg.): Neugestaltung der Unternehmensplanung – Innovative Konzepte und erfolgreiche Praxislösungen, Stuttgart 2003, S. 377-408.

Weber, J. (2002): Einführung in das Controlling, 9. Aufl., Stuttgart 2002.

Weber, J. (2004): Einführung in das Controlling, 10. Aufl., Stuttgart 2004.

Weber, J./ Bramsemann, U./ Heineke, C./ Hirsch, B. (2005): Value Based Management erfolgreich umsetzen, in: Weber, J. (Hrsg.): Das Advanced-Controlling-Handbuch – Alle entscheidenden Konzepte, Steuerungssysteme und Instrumente, Weinheim 2005, S. 175-216.

Weber, J./ Linder, S. (2003): Budgeting, Better Budgeting oder Beyond Budgeting? – Konzeptionelle Eignung und Implementierbarkeit, Vallendar 2003.

Weber, J./ Linder, S. (2004a): (Better) Budgeting oder Beyond Budgeting? – Eine Analyse aus koordinationstheoretischer Perspektive, in: Controller Magazin, 3/2004, S. 224-228.

Weber, J./ Linder, S. (2004b): Herausforderungen der Implementierung von Better Budgeting und Beyond Budgeting, in: Controller News, 2/2004, S. 67-70.

Weber, J./ Linder, S. (2005): Budgeting, Better Budgeting oder Beyond Budgeting? – Konzeptionelle Eignung und Implementierbarkeit, in: Weber, J. (Hrsg.): Das Advanced-Controlling-Handbuch – Alle entscheidenden Konzepte, Steuerungssysteme und Instrumente, Weinheim 2005, S. 217-270.

Weber, J./ Linder, S./ Hirsch, B. (2004): Neugestaltung der Budgetierung: Relative, benchmarkorientierte oder absolute, intern orientierte Ziele?, in: ZP - Zeitschrift für Planung und Unternehmenssteuerung, 1/2004, S. 57-75.

Weber, J./ Linder, S./ Spillecke, D. (2003): Beyond Budgeting bei Verbundeffekten?, in: ZfCM Sonderheft, 1/2003, S. 111-120.

Weber, J./ Schäffer, U./ Willauer, B. (2000): Operative Planung erfolgreich gestalten, Vallendar 2000.

Weber, J./ Wertz, B. (2005): Benchmarking Excellence, in: Weber, J. (Hrsg.): Das Advanced-Controlling-Handbuch – Alle entscheidenden Konzepte, Steuerungssysteme und Instrumente, Weinheim 2005, S. 405-440.

Weigand, A./ Buchner, H. (2000): Früherkennung in der Unternehmenssteuerung – Navigation für Unternehmen in turbulenten Zeiten, in: Horvath & Partner (Hrsg.): Früherkennung in der Unternehmenssteuerung, Stuttgart 2000, S. 1-36.

Wittmann, J. (1998): Target Project Budgeting – Markt- und technologieorientiertes Budgetmanagement, Wiesbaden 1998.

Wolbold, M. (1995): Budgetierung bei kontinuierlichen Verbesserungsprozessen, München 1995.

7.2. Internetquellen

[BBRT.org] unter: http://www.bbrt.org/; Abfragedatum: 10.06.05

[e-Industrial-Services]: Scratch-Line-Budgeting, unter: http://www.e-industrial-services.de/servlet/is/11571/; Abfragedatum: 25.05.05

[HMD] unter: http://hmd.dpunkt.de/glossar/glossar_227.html; Abfragedatum: 10.11.04

[Horvath & Partners]: Advanced Budgeting – Better and Beyond – schneller und besser planen, unter: http://www.horvath-partners.com/hp3/pdf/Flyer_Advanced%20Budgeting_030411.pdf; Abfragedatum: 20.04.05

[IMANENT]: Beyond Budgeting – IMANENT-Dossier 4.06, unter: http://iab.fhbb.ch/wb/imanent.nsf/img/dos-Beyond-Budgeting -04-06-04/$file/dos-Beyond-Budgeting-04-06-04.pdf; Abfragedatum: 25.04.05

[Lingnau, V.]: Beyond Budgeting – Notwendige Kulturrevolution für Unternehmen und Controller?, unter: http://www.competence-site.de/controlling.nsf/29568A6DD1908594C1256F660048317F/$File/beyondbudgeting_controlling forschung.pdf; Abfragedatum: 25.04.05

[Rieg, R.]: Beyond Budgeting – Ende oder Neubeginn der Budgetierung, unter: http://www.balanced-scorecard.de/docs/Beyondbudgeting7.pdf; Abfragedatum: 25.04.05

[Schäffer, U.]: Beyond Budgeting, unter: http://www.competence-site.de/controlling.nsf/C78749560A6038DAC1256DDC004CFC94/$File/beyond_budgeting.pdf; Abfragedatum: 25.04.05

[Scharer, M.]: Scratch-Line-Budgeting, unter: http://rpkalf4.mach.uni-karlsruhe.de/~paral/MAP/nscratch_line_budgeting_b.html; Abfragedatum: 25.05.05

8. Anhang

8.1. Wie die traditionelle Budgetierung die Effektivität der Instrumente untergräbt

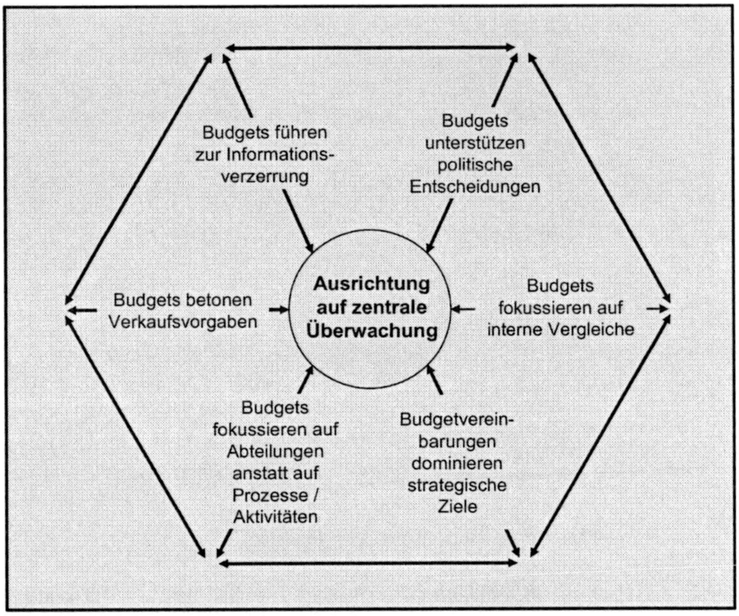

Abbildung 16: Wie die traditionelle Budgetierung die Effektivität der Instrumente untergräbt (Quelle: Hope/Fraser (2003), S. 157)

8.2. Gesamtbewertung der Konzepte aus konzeptioneller Sicht

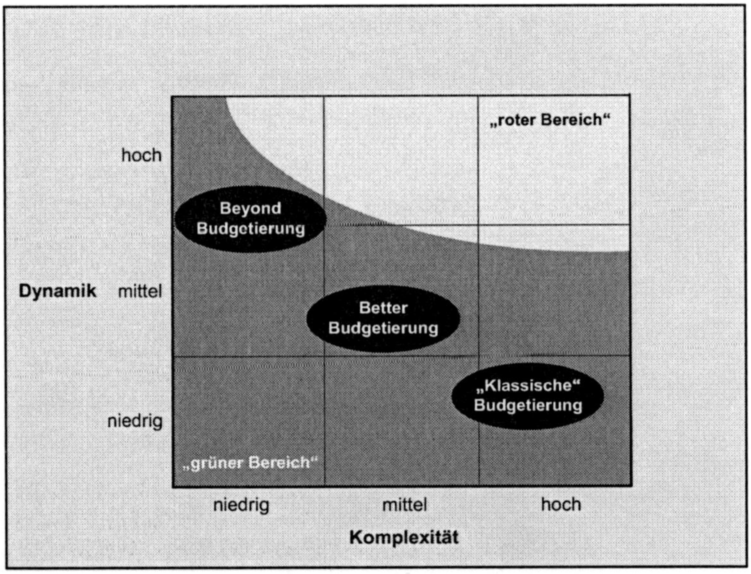

Abbildung 17: Gesamtbewertung der Konzepte aus konzeptioneller Sicht (Quelle: Weber/Linder (2003), S. 51)

8.3. Die drei Konzepte und ihr Implementierungsaufwand

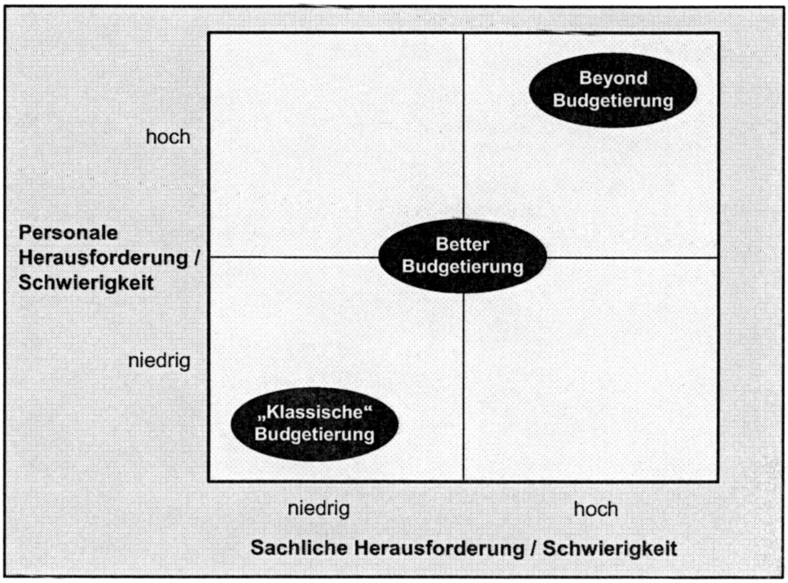

Abbildung 18: Die drei Konzepte und ihr Implementierungsaufwand (Quelle: Weber/Linder (2003), S. 58)

8.4. Budgeting Model aus der Perspektive des BBRT

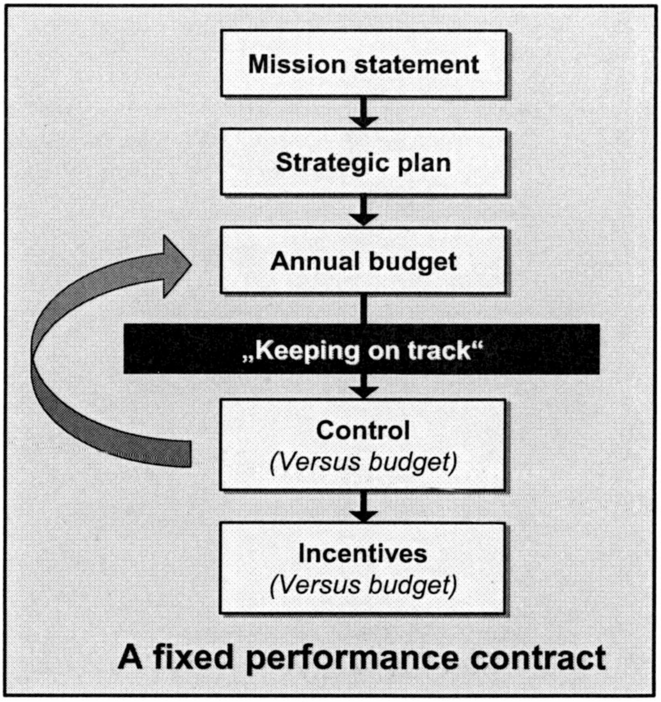

Abbildung 19: Budgeting Model (Quelle: Bunce/Fraser/Hope (2001), S. 58)

8.5. Unternehmenskontext und Wettbebwerbsvorteile

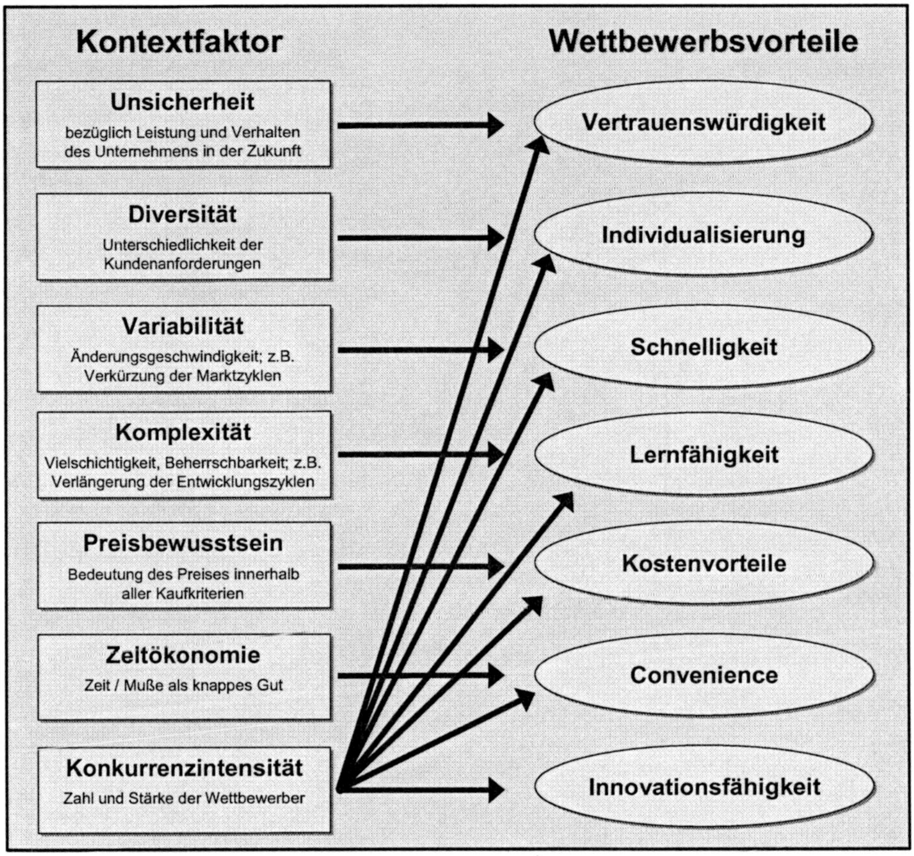

Abbildung 20: Unternehmungskontext und Wettbewerbsvorteile (Quelle: Link/Weiser (2006), S. 4)

8.6. Elemente der Rhetorik von Management-Bestsellern

(1)	Ein Schlüsselfaktor, der bisher „sträflich" vernachlässigt wird, steht im Mittelpunkt und wird von den Autoren als „radikaler Bruch mit den bisher gültigen Managementprinzipien" propagiert.
(2)	Die Anwendung der neuen Prinzipien ist angesichts der aktuellen oder kommenden Herausforderungen unausweichlich.
(3)	Die neuen Prinzipien werden mit zentralen Werten der Leserschaft in Verbindung gebracht, wie etwa Kundenorientierung, Flexibilität, Innovationsfähigkeit.
(4)	Der Autor belehrt die Praxis nicht, sondern macht auf ihre eigenen Spitzenleistungen aufmerksam. Die Beispiele sind leicht fassbar dargestellt, wodurch leichte Umsetzbarkeit suggeriert wird.
(5)	Kein Manager muss sich schuldig fühlen. Die alten Managementprinzipien waren bislang durchaus adäquat – für die Zukunft sind sie aber ungeeignet, da diese radikal neue Anforderungen mit sich bringt.
(6)	Der Bestseller zeichnet sich durch eine raffinierte Mischung aus Einfachheit und Mehrdeutigkeit aus. Die Einfachheit beruht aber weitgehend auf der Einfachheit der Prinzipien oder stilisierten Beispiele – wie diese aber im Detail aussehen, bleibt in der Regel unklar.
(7)	Die Implementierung wird in der Regel als äußerst herausfordernd dargestellt, verspricht aber enorme Verbesserungen.
(8)	Durch Einbezug systematischer empirischer Untersuchungen wird häufig eine Kopplung an die Wissenschaft versucht, ohne es allerdings mit Methodik und Interpretation der Ergebnisse dieser Studien in jedem Fall so genau zu nehmen.
(9)	Die Bücher sind leicht lesbar geschrieben – ohne Fremdwörter oder akademische Formulierungen.
(10)	Schließlich muss das Timing stimmen und das Konzept den „Nerv der Manager dieser Zeit" treffen.

Abbildung 21: Elemente der Rhetorik von Management-Bestsellern (Quelle: Schäffer/Zyder (2003), S. 103)

8.7. Flexible vs. Klassische Unternehmenssteuerung

Flexible vs. Klassische Unternehmensplanung

Flexible

① **Rasche Anpassung**

Neue werden erstellt. Veränderungen von Markt- und/oder Wettbewerbssituation werden durch den Einsatz von Forecasts (Marktvorhersagen) erfasst und finden sofort Eingang in die Planung.

② **Wissen für alle**

Ergebnisse von Forecasts werden schnell und übergreifend kommuniziert.

③ **Act local**

Notwendige Reaktionen bzw. Entscheidungen werden von den Ergebnisverantwortlichen vor Ort initiiert. Eigeninitiative und –verantwortung erfahren hierdurch eine hohe Bedeutung.

④ **Messlatte Wettbewerb**

Konsequentes internes und externes Benchmarking richtet den Fokus auf Wettbewerb (intern wie extern) und sensibilisiert für die Notwendigkeit von Früherkennung.

vs.

Klassische

① **Weiter wie bisher**

Verabschiedete Planzahlen bestimmen das wirtschaftliche Handeln, auch dann wenn sich Änderungen von Markt- und/oder Wettbewerbssituation ergeben. Anpassungen werden zumeist nur in Ausnahmen bewilligt und beinhalten einen langwierigen Entscheidungsprozess

② **Tal der Ahnungslosen**

Informationsfluss zwischen den Verantwortlichen vor Ort und der Unternehmensführung unregelmäßig, so dass wichtige Informationen gar nicht oder zu spät den Adressaten erreichen.

③ **Befehl von oben**

Top-Down Vorgaben ohne vorherige Rück- bzw. Absprache mit den Ergebnisverantwortlichen vor Ort – z.B. eine pauschale Preiserhöhung, wodurch Kunden in einzelnen Märkten zu billigeren lokalen Anbietern wechseln.

④ **Das Budget regiert**

Jahresbudgets gelten als fixes und primäres Ziel. Zum Teil notwendige, strategische Reaktionen auf Wettbewerbsaktivitäten werden, sofern sie die Einhaltung/Erreichung der Jahresbudgets gefährden, inkonsequent oder sogar gänzlich unterlassen.

Unternehmensplanung

Abbildung 22: Flexible versus Klassische Unternehmenssteuerung (Quelle: In Anlehnung an Schaudwet (2002), S. 67)